Gaede, U

Schiller und Nietzsch
der tragischen Kultur

Gaede, Udo

Schiller und Nietzsche als Verkuender der tragischen Kultur

Inktank publishing, 2018

www.inktank-publishing.com

ISBN/EAN: 9783750132511

Schiller und Nietzsche
als Verkünder der tragischen Kultur

Von

Dr. Udo Gaede

„In dein Auge schaute ich jüngst, o Leben!
Und ins Unergründliche schien ich mir da
zu sinken.“

1908.
Hermann Walther Verlagsbuchhandlung G. m. b. H.
Berlin W. 30, Nollendorfplatz 7.

Inhalt.

Seite

Naiv und Sentimentalisch — Apollinisch und Dionysisch . 15

Die Kulturkritik 37

Das Ziel der Menschheit 54

Die Erziehung der Menschheit 100

Die tragische Kultur 145

„Schiller ein Vorläufer Nietzsches!“ Ohne Einschränkung und nähere Erläuterung ausgesprochen, kann diese Behauptung nur den lebhaftesten Widerspruch hervorrufen. Fast wie eine Blasphemie wird sie denen klingen, die gewohnt sind, in Schiller den idealen, hoheitsvollen Dichter zu verehren und in Nietzsche nur den Zerstörer aller alten Werte zu hassen. Die unbedingten Nietzscheschwärmer aber werden mitleidig lächeln. Schiller und Nietzsche! Schiller, gut für Knaben und unreife Jünglinge, Nietzsche, der Dichter und Philosoph für Ausnahmemenschen, der große Prophet! Was sollten sie gemein haben? Die Menge der Fernerstehenden schließlich wird mit Verwunderung die Namen dieser beiden Männer in so enge Verbindung gebracht sehen.

Es ist ohne weiteres offenbar, daß ein Vergleich zwischen ihnen sich nicht auf alle Einzelheiten ihrer Welt- und Menschenanschauung, noch weniger ihrer Tätigkeit beziehen kann, ebenso klar aber auch, daß nur nebensächliche Berührungspunkte ihres Denkens keine Veranlassung geben könnten, den einen den Vorläufer des anderen zu nennen. Wenn diese Benennung zu Recht bestehen soll, so muß gerade in den wichtigsten Punkten, in den eigentlich bestimmenden und Richtung gebenden ihrer Lehre Uebereinstimmung herrschen.

Dies nachzuweisen, würde die Aufgabe der folgenden Ausführungen sein.

Indem ich mich daran mache, den Plan zu dieser Schrift zu entwerfen, drängt sich mir die Frage auf, die uns so oft beim Beginn einer nicht gerade notwendigen Arbeit überfällt, wozu das alles? Welchen Wert hat es, diese beiden Namen so zu verbinden. Mögen Beziehungen zwischen ihnen bestehen, lohnt es sich, sie aufzuzeigen?

Es war in den trüben Sommertagen des regenreichen Jahres 1902, als mich völlige Muße von neuem zu einem tieferen Studium Nietzsches führte, der mir zehn Jahre früher noch ein Buch mit sieben Siegeln geblieben war. Man sollte einmal versuchen festzustellen, wann im Leben jedes einzelnen, dem Nietzsche ein Erlebnis geworden ist, dies Erlebnis eintrat, wann Nietzsche ganz auf ihn zu wirken anfing, wann er reif für ihn war. Es würden sich wertvolle und interessante Schlüsse daraus ziehen lassen. Er übte und übt auch jetzt wohl noch seine stärkste Wirkung auf junge Leute in den ersten Universitätsjahren aus. Aber diese scheinbar tiefe Wirkung ist doch nur eine recht oberflächliche. Er dient, wie auch Schopenhauer, all diesen jungen Menschen eine Zeitlang nur als Ausputz. Ihre jugendliche Weltverachtung, die nicht viel mehr ist als ein sentimentaler Weltschmerz, nicht weniger aber auch ihr Streben nach Individualität und Selbstdurchsetzung glaubt hier einen festen Grund und Boden, eine Rechtfertigung zu finden. Was Nietzsche eigentlich will, verstehen sie meist nicht. Wie weit aber wirkt Nietzsche auf reifere Naturen, wie weit ist das Ideal, das er aufstellt, schon in den reifen Köpfen unserer

Zeit heimisch geworden? Solche Gedanken bewegten mich, als ich an meine erste Begegnung mit ihm dachte und beobachtete, wie er mich jetzt ergriff und gefangen nahm.

Und indem ich mich so in stillen Abend- und Nachtstunden in völliger Abgeschlossenheit, in die nur von fern und gedämpft das Geräusch der Großstadt hereindrang, in seine Werke vertiefte, trat mir die Gestalt Schillers immer häufiger und immer greifbarer vor Augen. Ist die Quintessenz dessen, was Nietzsche lehrt, nicht schon eine alte Lehre?, rief es in mir. Hat eben sein Ideal nicht schon Schiller aufgestellt? Unser großer, vielverkannter Schiller? Wäre hier nicht eine Gelegenheit, ihn zu rehabilitieren? Denn darüber kann man nicht im unklaren sein, er bedarf dessen. Sein Ansehen ist von Jahrzehnt zu Jahrzehnt gesunken. Wie sagt doch Nietzsche: „Er ist jetzt aus den Händen der Jünglinge in die der Knaben, aller deutschen Knaben geraten! Es ist ja eine bekannte Art des Veraltens, daß ein Buch zu immer unreiferen Altersstufen hinabsteigt." Der törichte Grundsatz: Für die Jugend ist das Beste gerade gut genug, hat ihn dahin gebracht. Unsere Jugend ist mit ihm fertig, wenn sie das Gymnasium verläßt. Man hat ihn auf der Schule „gehabt" und hat ihn verstanden, davon ist man überzeugt, was soll man noch mit ihm? Diese Stellung zu ihm behält die Mehrzahl unserer Gebildeten ihr Leben lang. In Wahrheit kennen sie ihn gar nicht. Niemand kennt ihn, der nur seine Dichtungen kennt. Es ist an der Zeit, den Denker Schiller wieder zu Ehren zu bringen.

Diese Erwägung vor allem war es, die mir die

Ausführung meiner Ideen nicht ganz wertlos erscheinen ließ. Denn eine unerschöpfliche Fundgrube hoher und großer Gedanken scheint mir hier für noch allzu viele verborgen und unbekannt zu liegen. Und vielleicht gelingt es, hierbei zugleich ein neues Licht auf Nietzsches Lehre zu werfen, einen neuen Standpunkt für ihn zu gewinnen. Er, der wie ein einsamer, ungeheurer Bergriese aus flachem Lande aufzuragen scheint, wird vielleicht zugänglicher, neue Pfade zu ihm erschließen sich wohl manchem, wenn es sich zeigt, wie nahe seinem Gipfel andere Gipfel leuchten. Schlagen wir eine Brücke von einem zum anderen.

Mit diesen Sätzen gedachte ich vor vier Jahren diese Schrift einzuleiten. Heute wäre ich fast geneigt, sie wegzulassen. Aber sie beweisen besser als alles andere, aus welchem Geiste diese Schrift geboren ist, und sie zeigen zugleich, daß Kühnemann, der zuerst die neue Auffassung Schillers, die auch hier verkündet werden soll, öffentlich vertreten hat, im Irrtum war, wenn er annahm, daß nicht einer unter den jetzt Lebenden die Verwandtschaft zwischen Schiller und Nietzsche erkannt habe. Um sie zu erkennen, dazu mußte man freilich erst Schiller in dem Lichte gesehen haben, in dem er gesehen werden muß. Daß ich ihn so sehen und empfinden gelernt hatte, recht im Gegensatz zu der landläufigen Auffassung, war mir ein Anlaß innerer Befriedigung. Daß mir nun in dem glänzenden Buche Kühnemanns im großen und ganzen dieselbe Auffassung entgegentritt, bevor ich selbst Zeit und Gelegenheit fand, was ich dachte, in aller Oeffentlichkeit zu sagen, bestärkt und ermutigt mich nur in meinem Vorhaben. Denn es beweist mir, daß für ein tieferes Verständnis Schillers die Zeit gekommen ist, die mir für jeden Großen des Geistes immer dann da zu sein scheint, wenn die richtigen Gedanken über ihn nicht mehr im Kopfe eines Einzelnen, sondern an mehreren Stellen unabhängig voneinander entstehen.

Zum Zeichen dessen, wie gesagt, mögen jene einleitenden Sätze stehen bleiben. An die Stelle aber des ursprünglich in Aussicht genommenen Titels: „Schiller ein Vorläufer Nietzsches", mag der nunmehr gewählte treten, der mit größerer Deutlichkeit auf das hinweist, was mir als das Gemeinsame in Schillers und Nietzsches Lebensauffassung erscheint, und auch klarer zum Ausdruck bringt, daß es sich nicht um irgendwelche philologischen Vergleichspunkte handelt, oder gar darum, ein direktes Abhängigkeitsverhältnis Nietzsches von Schiller nachzuweisen.

Daß ein solches Verhältnis in Nietzsches jungen Jahren für einzelne Punkte bestanden hat, beweisen die folgenden Ausführungen. Ja, auch darüber ist sich Nietzsche damals nicht im unklaren gewesen, daß die Gesamtlebensauffassung Schillers in dieselbe Richtung weist, in der er zu arbeiten begann. Es findet sich in den nachgelassenen Aufzeichnungen zur „Geburt der Tragödie" die Bemerkung: „Schiller weist auf die tragische Kultur hin".

Wie Nietzsche dann in späteren Jahren über Schiller dachte, weiß man: bekanntlich nicht zum besten. Es scheint, als ob er gerade das perhorreszierte habe, was ihm am nächsten stand. Das zu zeigen und zu untersuchen, ob und wie weit er sich auch in der Zeit der Reife des engen Verhältnisses zu Schiller bewußt gewesen ist, wäre eine nicht uninteressante und lohnende Aufgabe.

Aber alles das sind schließlich nebensächliche Dinge.

Was uns nottut, ist Eindringen in die Tiefe. Unter dem betäubenden Geschrei derer, die in unablässigem Kampfe um nur e i n Ideal, nämlich das des Geldes, ihre „praktischen" Forderungen erheben, denen die „Jetztzeit" zu genügen habe, und dem oberflächlichen Geschwätz der optimistischen Genügsamen droht jede andere Stimme zu ersticken, die einer tieferen und ernsteren Lebensauffassung das Wort redet. In deren Hände ist auch Schiller gefallen. Nehmen ihn die einen in Anspruch als den Verfechter der Freiheit, ein Wort, das für sie nur negativen Inhalt hat, so preisen ihn die anderen als den Verkünder eines hausbackenen und sentimentalen Idealismus.

Und auch Nietzsches Wirkung wird verkümmert durch eine teils verflachende, teils nur die verneinende Seite seiner Tätigkeit beachtende Auffassung. Daß beide gleich weit entfernt von Weichlichkeit und Philisterhaftigkeit, im innersten ihrer Seele von der gleichen Sehnsucht erfüllt, ein neues positives, die tiefsten Kräfte des Menschen weckendes Ideal aufzurichten sich bemüht haben, soll im Gegensatz dazu im folgenden zu beweisen unternommen werden.

B e r l i n, im Januar 1908.

I.

Naiv und Sentimentalisch. — Apollinisch und Dionysisch.

Am Ende der philosophischen Laufbahn Schillers steht die Abhandlung „Ueber naive und sentimentalische Dichtung“, als Abschluß einer langen Entwicklung, als Krönung eines breiten Gedankenbaues und als sichtbares Zeichen der Heimkehr des Dichters von fremden Küsten zum heimischen Gestade. Die Reihe der philosophischen Schriften Nietzsches wird eröffnet durch die „Geburt der Tragödie aus dem Geiste der Musik“. Ihr Inhalt ist, wie der der Schillerschen Abhandlung, ästhetisch-philosophischen Charakters.

Beide verlassen mit dieser Arbeit das Gebiet der Aesthetik, um sich ihrer eigentlichen Lebensaufgabe zuzuwenden: Schiller der Dichtung, er trägt sich seit langem mit dem Problem des Wallenstein, Nietzsche der philosophischen Forschung und Gesetzgebung.

Bei beiden erwächst die ästhetische Betrachtung aus dem Ganzen ihrer Weltanschauung. Die Abhandlung über naive und sentimentalische Dichtung ist nicht denkbar, ohne die „Briefe über die ästhetische

Erziehung des Menschen", die Schillers Weltbekenntnis enthalten, und die „Geburt der Tragödie" ruht völlig auf dem breiten Boden der Schopenhauerschen Philosophie, deren Jünger Nietzsche bekanntlich war.

Aber wenn Schiller in diesen Schriften zur Reife der Anschauung gelangte und sich von hier aus mit ruhiger Seele, innerlich gefestigt und befriedet dem künstlerischen Schaffen wieder zuwenden konnte, so waren für Nietzsche zu der Zeit, als er sein Erstlingswerk schuf, die Grundlagen seines Denkens bereits ins Wanken geraten. Hier eröffnet sich uns der Blick in ein wildwogendes Gedankenmeer, in eine gärende Masse, in der Altes und Neues in schwerem Kampfe liegt. Hier ist nichts von Ruhe und Abgeklärtheit. Ein kühner und begeisterter Jüngling beginnt hier seine Fahrt in das unendliche Meer, voll düsterer Ahnung drohender Stürme und Einsamkeiten und voll süßer Hoffnung nie geschauter Schöne.

Während also der eine ans Ziel gelangt ist, beginnt der andere erst seinen Weg. Und so könnte nichts unzweckmäßiger erscheinen, als mit einer Vergleichung gerade dieser Werke unsere Betrachtung zu eröffnen, wenn nicht auch Nietzsche schon damals zu Einsichten gelangt wäre, die dauernden Wert für ihn behielten, zu denen er trotz aller Wandlungen, die er durchzumachen hatte, immer wieder zurückkehrte, und wenn wir hier nicht den Punkt träfen, wo beide dasselbe Thema behandelt haben, der zugleich der Punkt ist, von dem aus sich ihre ganze Weltauffassung begreifen läßt.

In beiden findet sich eine eigenartige Mischung dichterischer und philosophischer Begabung. Aber wenn Schiller in erster Linie Dichter ist, so ist Nietzsche vor allem Philosoph. Dennoch ist die künstlerische Ader in ihm so stark, daß sie seine Philosophie immer beeinflußt, ja seine Philosophie selbst zur Dichtung macht, wozu zu werden ja jede Philosophie an sich neigt. Was Schiller von sich Goethe gegenüber einmal sagte, daß ihn „der Poet übereilt habe, wo er philosophieren sollte und der philosophische Geist, wo er dichten wollte", konnte mit einigem Recht auch Nietzsche von sich sagen.

Und so ist es begreiflich, daß auch er, was bei Schiller dem Dichter sich fast von selbst versteht, zunächst vom ästhetischen Gesichtspunkte aus die Welt zu erfassen strebt. Bei ihm wie bei Schiller wirken persönliche Erlebnisse dazu mit. Bei beiden ist es der Anblick eines fremd und neugearteten Genius, der ihnen ihr Problem stellt und zugleich die Lösung an die Hand gibt. Infolgedessen verengt sich ihnen das ihnen ursprünglich naheliegende Problem: antike und moderne Menschheit zu dem: antike und moderne Kunst. Und erst von hier aus kehren sie zu jenem allgemeineren zurück.

Für Schiller besaß die Frage einen mehr persönlichen Charakter. Gab ihm die Erkenntnis des dem griechischen so nahe verwandten dichterischen Genius Goethes den letzten unmittelbaren Anstoß, so drängte ihn mit viel größerer innerer Gewalt die Frage nach der Bedeutung und dem Rechte seiner eigenen dichterischen Eigenart, die sich so weit von dem bewunderten antiken Vorbilde, wie von der seines großen Nebenbuhlers entfernte. Darüber mußte er sich klar sein, wollte er sich mit völliger innerer Freiheit dem künstlerischen Schaffen wieder zuwenden. Dieses allerpersönlichste Motiv fehlt natürlich bei Nietzsche.

Für ihn wird die Freundschaft mit Richard Wagner, an dem er mit einer ebenso tiefen wie begeisterten Liebe hing, bestimmend.

Die Antwort auf die sie zunächst bedrängenden Fragen, die Lösung des Problems findet Schiller in der Entdeckung der naiven und sentimentalischen Dichtung, Nietzsche in der Entdeckung der Begriffe apollinisch und dionysisch. Zwei Begriffspaare, deren enge Verwandtschaft sich bei näherer Betrachtung unmittelbar ergeben wird.

Es wird nötig sein, uns in wenigen Worten den Kern der Schopenhauerschen Metaphysik ins Gedächtnis zurückzurufen. Der Titel seines Hauptwerkes: Die Welt als Wille und Vorstellung, spricht ihn in denkbar größter Kürze aus. Die Welt so, wie sie sich uns zeigt, mit der Fülle ihrer Einzelpersönlichkeiten, ihrer einzelnen Erscheinungen ist unsere Vorstellung. Daß wir sie so sehen, wie wir sie sehen, ist nicht sowohl ihr Werk, als vielmehr die Folge der uns eigentümlichen, unserer Organisation innewohnenden Formen des Denkens und Anschauens: Raum, Zeit und Ursächlichkeit. Dies sind die uns von Anbeginn an gegebenen Begriffe. Demgemäß können wir die Dinge nur als nebeneinander, nacheinander und durch Ursachen verbunden denken und sehen. Damit dringen wir aber niemals zu dem an sich der Dinge vor. Raum, Zeit und Ursächlichkeit breiten sich wie ein dreifacher Schleier vor den eigentlichen Kern der Welt. Wenn aber Kant infolgedessen darauf verzichten zu müssen glaubte, das Ding an sich jemals zu erkennen, so glaubt Schopenhauer im Selbstbewußtsein des Menschen den Weg gefunden zu haben, der hinter die Erscheinungswelt führt.

Hier nämlich, im Selbstbewußtsein, empfinden wir uns unmittelbar als fühlend, strebend und wollend und ergreifen damit den eigentlichen Kern unseres Wesens und damit zugleich des Wesens aller Dinge der Welt, die, wenn wir uns überhaupt eine Vorstellung von ihr machen wollen, nach Analogie unseres eigenen Wesens beurteilt werden muß. Die Welt ist Wille, blinder, zielloser Drang, bewußtloser Trieb zur Existenz und ist einer, ἓν καὶ πᾶν. Alle Erscheinungen der Welt sind nur Objektivationen dieses einen Willens zum Dasein. Daraus folgt die unbedingte innere Gleichheit aller Dinge und Wesen. Sie sind Erscheinungsformen ein und desselben. Das alte indische Tat twam asi: „siehe, das bist auch du", hat uns Schopenhauer mit der hinreißenden Kraft eines tiefen Geistes immer von neuem zugerufen.

In der Fülle dieser Erscheinungsformen des Willens nimmt nun der Mensch die höchste Stelle ein, und unter den Menschen das künstlerische und philosophische Genie. Während in der Masse der Menschheit der Intellekt unter dem Joche des Willens lebt, befreit er sich im Genie und erhebt sich zur begierdelosen Betrachtung. Die Kunst erlöst den Menschen von der Gewalt des dunklen, in ihm herrschenden Triebes; die letzte und äußerste Erlösung aber bietet nur die völlige Aufhebung und Verneinung des Willens zum Leben, von der die christlichen Asketen und morgenländischen Büßer erhebende Beispiele geben. Die Verneinung des Willens zum Dasein ist das eigentliche Ziel und die Aufgabe der Menschheit. Dadurch erlöst sie sich und in sich und mit sich die Welt.

Man erkennt, welches uralte, die Menschheit ewig

beschäftigende, ja quälende Problem hier gestellt und wie es gelöst ist, das Problem, das allen tieferen Religionen zugrunde liegt. Zwei Seiten dieses Systems fallen besonders ins Auge. Einerseits die Vorstellung von der Einheit und Identität aller Erscheinungen, denen an sich keine wahre Wirklichkeit zukommt, und der alogische Charakter der Welt; nicht eine überschauende, allweise, zwecksetzende Vernunft regiert in ihr, sondern ein zielloser Drang und Trieb, Wille genannt. Daraus erwächst der theoretische und praktische Pessimismus. Der Urgrund des Seins ist Leiden, das Leben selbst qualvoll und verachtungswürdig, nichts bietend, was des Strebens des Weisen wert wäre. Von ihm erlöst nur die Kunst, der schöne Schein, und die Verneinung des Willens zum Leben, jener auf Stunden, diese für immer.

Als unbedingter Anhänger dieser Philosophie ging Nietzsche daran, ein ästhetisches Phänomen zu erklären: die Erscheinung Richard Wagners. Aber wie es bei einem tiefer angelegten Menschen nicht anders sein kann, erfaßt er nicht nur die Einzelerscheinung, sondern bringt sie in Zusammenhang mit allem, was er innerlich erfahren und erlebt hat. Er sucht ihre Stellung innerhalb des Kosmos, der sich ihm gebildet hat, zu bestimmen, ihn mit den tiefsten Fragen, nach deren Lösung seine Seele schreit, in Verbindung zu bringen. Und weil ein solcher Zusammenhang vorhanden ist, wird ihm diese Einzelerscheinung überhaupt erst bedeutungsvoll. Und so entsteht eine Wechselwirkung. Vom Ganzen fällt Licht auf das Einzelne, und vom Einzelnen strahlt es zurück auf das Ganze. Und da Nietzsche Philologe war, aber ein solcher Philologe, daß er gewissermaßen als Wahlspruch für seine Lehrtätigkeit in seiner Antrittsvorlesung in Basel verkündete: Philosophia fit, quae philologia fuit, bildet eine philosophische Betrachtung des Griechentums die Grundlage seiner Gedankenentwicklung. Eine philosophische Betrachtung, durchtränkt vom Geiste Schopenhauers. Daher erhalten die beiden Begriffe, die Nietzsche als die ästhetischen Grundtriebe der Natur zu erweisen sich bemüht, und deren Vereinigung in der griechischen Tragödie wie in dem Gesamtkunstwerk Richard Wagners sich vollzogen haben soll, erst in der Verbindung mit Griechentum und Schopenhauerscher Philosophie Leben und Farbe.

Als die mythische Verkörperung dieser beiden Triebe erscheinen Nietzsche die beiden Kunstgottheiten der Griechen Apollo und Dionysos. Jede beherrscht ihr eigenes Reich, bis sie durch „einen metaphysischen Wunderakt" gepaart erscheinen. Unter der Herrschaft Apollos zunächst gelangen die Griechen dazu, den tiefen Pessimismus zu überwinden, von dem ihre ältesten Mythen von Prometheus, Oedipus und den vom Geschlechtsfluch verfolgten Atriden, sowie die alte Sage vom weisen Silen genügendes Zeugnis ablegen. Wie sie im Innersten vom Leben dachten, einen wie tiefen Blick sie in den lichtlosen Abgrund getan hatten, der sich zu den Füßen jedes Menschen öffnet und ihn in jedem Augenblicke seines Daseins zu verschlingen droht, zeigt jene Antwort des alten Waldgottes, auf die Frage des Königs Midas nach dem, was für den Menschen das Allerbeste und Allervorzüglichste sei: „Elendes Eintagsgeschlecht," rief er ihm zu, „des Zufalls Kinder und der Mühsal, was zwingst du mich, dir zu sagen, was nicht zu hören für dich das Ersprießlichste ist? Das Allerbeste ist für dich gänzlich unerreichbar: nicht geboren zu sein, nicht zu sein, nichts zu sein! Das Zweitbeste aber ist für dich, bald zu sterben." Welch ein Abstand von dieser das Leben im tiefsten Grunde verurteilenden Volksweisheit bis zu der schönheitstrunkenen und genußfrohen Lebensbejahung des klassischen Altertums! Was überbrückte ihn? Nietzsche antwortet: „die olympische Götterwelt". Um leben zu können, mußten die Griechen diese Götter aus tiefster Nötigung schaffen. Wie Rosen aus dornigem Gebüsch hervorbrechen, so sei aus der ursprünglichen titanischen Götterordnung des Schreckens in langsamen Uebergängen die olympische Götterordnung der Freude entwickelt worden. In ihr wurde alles Vorhandene, gleichviel ob gut oder böse, vergöttlicht. So rechtfertigen die olympischen Götter das Leben, indem sie es selbst leben. Das Dasein unter dem hellen Sonnenschein solcher Götter wird nun als das an sich Erstrebenswerte empfunden. Nietzsche erinnert an die Menschen Homers. Das Schmerzlichste ist ihnen der Gedanke an das Abscheiden. Die Vergänglichkeit der Menschengeschlechter, die dahinschwinden wie die Blätter im Herbst, das eigentliche Leid. Der größte ihrer Helden hält es seiner nicht für unwürdig, sich nach dem Fortleben zu sehnen. Besser dünkt es ihn, der letzte Tagelöhner auf Erden zu sein, als der Erste im Tartarus. So verwandelt sich den Griechen die Weisheit des Silen in ihr Gegenteil. Nicht mehr als das Beste erscheint es ihnen zu sterben, vielmehr als das Schlimmste, als das Allerschlimmste aber, bald zu sterben.

Diese Wandlung stellt sich dar als die höchste

Wirkung einer besonders gearteten Kultur: der apollinischen Kultur.

In der Lichtgestalt des delphischen Apollo, des wahrsagenden und „scheinenden" Gottes, der Lichtgottheit, haben die Griechen alle bildnerischen Kräfte des Menschen verkörpert. Jenen künstlerischen Trieb und jene künstlerische Fähigkeit, das innerlich Geschaute im Bilde der epischen oder bildenden Künste plastisch aus sich heraus zu stellen und ihm damit eine höhere Realität zu verleihen, als den vorübereilenden, schwer zu deutenden Erscheinungen des wirklichen Lebens zukommt, einen Trieb und eine Fähigkeit, die jeder in der schöpferischen Aktion des Traumes an sich erfährt und ausübt, bezeichnet Nietzsche als apollinisch.

Unter der Herrschaft dieses Triebes oder, im Sinne des Mythos gesprochen, unter der Herrschaft Apollos schufen die Griechen jene lustvolle Illusion der olympischen Götterwelt und retteten sich damit vor den Wirkungen der finsteren Philosophie des Waldgottes. Künstlerisch offenbart sich diese apollinische Kultur in den Werken des naiven Dichters.

Damit haben wir bereits die engste Berührung mit der Gedankenwelt Schillers. Völlig klar aber wird uns der Charakter des Apollinischen und seine Verwandtschaft mit dem Naiven erst werden, wenn wir seine metaphysische Bedeutung betrachten. Unter diesem Gesichtspunkt betrachtet, bedeutet nämlich die apollinische Kultur nach Nietzsche die Epoche, in der die völlige Hingabe an das principium individuationis. seine höchsten Triumphe feiert.

Raum, Zeit und Ursächlichkeit breiten sich, wie wir sahen, nach Schopenhauer wie ein dreifacher

Schleier vor das Ansich der Dinge und entziehen uns den Anblick der wahren Welt. Eben diese Begriffe, die den Menschen sich als ein in Zeit und Raum begrenztes, selbständiges, dem Kausalgesetz unterworfenes Wesen empfinden lassen, bezeichnet Schopenhauer als das principium individuationis. Auf dieses Prinzipium gestützt und vertrauend, sitzt, wie Schopenhauer sagt, der einzelne Mensch ruhig inmitten einer Welt von Qualen, wie auf dem tobenden Meere, das nach allen Seiten unbegrenzt heulend Wasserberge hebt und senkt, in einem Kahn ein Schiffer sitzt, dem schwachen Fahrzeug vertrauend.

Als den erhabensten Ausdruck dieses unerschütterten Vertrauens betrachtet Nietzsche die Gestalt Apollos, ja er möchte ihn selbst als das herrliche Götterbild des principii individuationis bezeichnen, insofern eben in ihm, dem Gotte des schönen Scheines, jene unbeschränkte Hingabe an die Welt der empirischen Realität verkörpert ist, die dem wahrhaft Seienden gegenüber nur als das wahrhaft Nichtseiende, das heißt, als ein fortwährendes Werden in Zeit, Raum und Ursächlichkeit, als eine Welt des Scheines zu begreifen ist. Dieser Welt bedarf der Wille, der ureine, „als der ewig leidende und widerspruchsvolle" zu seiner eigenen Erlösung. Findet er diese schon in der „wirklichen" Welt mit ihren Individuen, deren wahrer Wert demnach darin liegt, daß sie Bilder und Kunstwerke sind — denn nur als ästhetisches Phänomen ist die Welt ewig gerechtfertigt — so findet er sie in einem noch höheren Grade in der Kunst als dem Scheine des Scheines. So ist sie zu begreifen, da sie selbst ja nur Schein, nur Abglanz der empirischen Welt ist, die ihrerseits, wie gesagt, dem wahrhaft Seienden gegenüber wiederum nur Schein ist. Dieser Drang des Ureinen nach Erlösung im Scheine läßt den Künstler seine Werke schaffen. Er ist also, sofern er Künstler ist, als Subjekt aufgehoben, erlöst von seinem individuellen Willen und gleichsam nur als „ein Medium“ zu betrachten, durch das hindurch das eine wahrhaft seiende Subjekt seine Erlösung im Scheine feiert. Dieser selbe Drang des Ureinen ist es denn auch, der die Griechen die lustvolle Illusion der olympischen Götterwelt schaffen läßt. „In den Griechen“, sagt Nietzsche, „wollte der Wille sich selbst in der Verklärung des Genius und der Kunstwelt anschauen; um sich zu verherrlichen, mußten seine Geschöpfe sich selbst als verherrlichenswert empfinden, sie mußten sich in einer höheren Sphäre wiederfinden, ohne daß diese vollendete Welt der Anschauung als Imperativ oder als Vorwurf wirkte. Dies ist die Sphäre der Schönheit, in der sie ihre Spiegelbilder, die Olympischen sahen. Mit dieser Schönheitsspiegelung kämpfte der hellenische Wille gegen das dem künstlerischen korrelative Talent zum Leiden und zur Weisheit des Leidens, und als ein Denkmal seines Sieges steht Homer vor uns, der naive Künstler.“

Das ist die metaphysische Bedeutung der apollinischen Kultur und Kunst. Aus ihr erhellt, wie gesagt, erst die wahre Bedeutung jenes ästhetischen Grundbetriebes, den Nietzsche als apollinisch bezeichnet. Sehen wir zunächst davon ab, daß die apollinische Kunst als Mittel der Erlösung dienen soll, für den ewig leidenden Urgrund der Welt, so erkennen wir aus der Bezeichnung Apollos, als der Verkörperung des principii individuationis, daß das wesentliche Merkmal des apollinischen Künstlers in der unbedingten Hingabe an die wirkliche Welt, an die Natur, wie sie ihn umgibt, besteht, und zwar nicht in einer gewollten, bewußten Hingabe, sondern in dem Einssein mit der Natur. Er spiegelt die Gestalten wieder, so, wie er sie empfängt, ungetrübt durch subjektive Beimischungen. Sein Subjekt ist aufgehoben.

Eben das sind die Eigenschaften des naiven Dichters im Sinne Schillers. Der naive Dichter ist objektiv, er rührt uns, wie Schiller sagt, durch Natur, durch sinnliche Wahrheit, durch lebendige Gegenwart; denn er gibt uns den Gegenstand rein wieder, so, wie er ihn unmittelbar in der Anschauung empfangen hat, nicht getrübt durch subjektive Empfindung und Reflexion, er tritt hinter sein Objekt zurück. Und diese äußerlich erkennbaren Merkmale beruhen darauf, daß er gleich wie der apollinische Künstler Nietzsches eins ist mit der Natur.

Schiller war insofern ganz ein Kind seiner Zeit, als die Vorstellung eines ehemaligen glückseligen Naturzustandes einen unverlierbaren Bestandteil seines Denkens bildete. Jean Jacques Rousseau hatte auch für ihn nicht vergebens gepredigt. Aber früh genug war er dahin gelangt, sich von der Sehnsucht nach diesem glücklichen Naturzustande freizumachen. Er begriff, daß in ihm nicht das Ideal der Menschheit zu suchen sei und erkannte auch bald, daß die weichliche Schilderung Rousseaus nicht der rauhen Wirklichkeit der ersten Kindheit der Menschheit entspräche, daß in ihr alles andere eher geherrscht habe, als Friede und Glückseligkeit. Aber als ein Rest dieser Anschauung blieb ihm sein ganzes Leben hindurch die Ueberzeugung, daß die Griechen in jenem glücklichen Naturzustande gelebt hätten. Er sah das Ideal menschlicher Vollkommenheit in ihnen erreicht, freilich ein Ideal, mit dem sich das Rousseausche, wie wir später des weiteren sehen werden, weder an Tiefe noch an sittlichem Gehalt messen kann. Die Griechen besaßen nun nach Schiller dank der günstigen Bedingungen, unter denen sie heranwuchsen, dank aber auch ihrer außerordentlich glücklichen Veranlagung, jene Einheit mit der Natur. Daher sind ihm denn auch die griechischen Dichter die naiven Dichter par excellence.

Und zwar ist es eben jene Epoche, die Nietzsche als von der apollinischen Kultur beherrscht schildert, die Schiller in diesem Lichte sieht. Was Nietzsche ausführt über die Rechtfertigung des Daseins durch die olympischen Götter, die eben dieses Leben selbst lebten und damit vergöttlichten, hat Schiller in den „Göttern Griechenlands" dichterisch vorgebildet:

„An der Liebe Busen sie zu drücken
Gab man höh'ren Adel der Natur.
Alles wies den eingeweihten Blicken,
Alles eines Gottes Spur."

„Höher war der Gabe Wert gestiegen,
Die der Geber freundlich mitgenoß,
Näher war der Schöpfer dem Vergnügen,
Das im Busen des Geschöpfes floß."

Und so fühlte sich der Mensch den Göttern gleich, „ohne daß diese vollendete Welt der Anschauung als Imperativ oder Vorwurf wirkte", wie Nietzsche sagt, oder mit den Worten Schillers:

„Bürger des Olymps konnt' ich erreichen,
Jenem Gotte, den sein Marmor preist,
Konnte einst der hohe Bildner gleichen,
Was ist neben dir (dem Gotte des Christentums) der höchste Geist
Derer, welche Sterbliche geboren?
Nur der Würmer erster, edelster.
Da die Götter menschlicher noch waren,
Waren Menschen göttlicher."

So erkennen wir die innere Wesensgleichheit der Begriffe apollinisch und naiv, soweit sie ästhetischen Charakters sind und soweit die Grundlage zunächst in Betracht kommt, aus der sie erwachsen sind. In dieser Beziehung wäre vielleicht noch auf eine scheinbar bedeutungsvolle Differenz zwischen Schiller und Nietzsche hinzuweisen.

Nietzsche betont, daß jener Zustand der Harmonie, ja Einheit mit der Natur, in dem die Griechen unter der Herrschaft der olympischen Götter lebten, „nicht als ein einfacher, sich von selbst ergebender Zustand, dem wir an der Pforte jeder Kultur, als einem Paradies der Menschheit, begegnen müßten", zu verstehen, sondern erst die höchste Blüte einer besonders gearteten Kultur sei, und es hat den Anschein, als ob er sich damit gegen Schiller wende. Nun ist es wohl zweifellos, daß das Bild der Griechen, das Nietzsche sich erarbeitet hatte, bedeutend differenzierter war als das, das Schiller und mit ihm das ganze Zeitalter der Humanität besaß. Schiller sah nur die großen einheitlichen Züge. Diese aber sind auch bei Nietzsche dieselben. Zudem hatte er bald, wie wir sahen, die Vorstellung eines am Anfang jeder Kultur stehenden glückseligen Naturzustandes überwunden. Er fand ihn nur noch bei den Griechen und war sich auch nicht im unklaren darüber, daß besonders günstige Bedingungen dazu nötig waren, ihn zu schaffen, wenn er auch auf jene erste Epoche des Pessimismus, „der titanischen Götterordnung" weniger Wert legte.

Dieser Welt der apollinischen Kultur drohte nun, wie Nietzsche des weiteren ausführt, die Gefahr der Vernichtung durch eine der apollinischen gerade entgegengesetzte Macht, die dionysische.

Erfaßte Nietzsche die Gestalt Apollos als die erhabenste Verkörperung des principii individuationis, so sah er in Dionysos, dem Gotte der Natur und des Rausches, jenen Trieb verkörpert, der den Menschen antreibt, sich über die Welt der empirischen Realität hinauszusehnen, das principium individuationis zu zerbrechen, den Schleier der Maja zu zerreißen, der sich vor das Ansich der Dinge breitet, und eins zu werden mit dem leidvollen Untergrunde der Natur. Wie diese Macht in fratzenhaft barbarischer Gestalt, in der Form maßlos ausschweifender Feste mit dem Zentrum geschlechtlicher Zügellosigkeit auf allen Land- und Seewegen aus Vorderasien hereinbrechend, ganz Griechenland zu überfluten und die Welt des schönen Scheines und Maßes zu zertrümmern drohte, wie sich dagegen im dorischen Staatswesen das Wesen des Apollinischen in herber Größe aufrichtete, schließlich aber doch das Dionysische sich den Zugang zu den Herzen der Griechen erzwang, um hier eine innere Umwandlung und Veredlung zu erfahren, das dem Gedankengange Nietzsches auch nur im großen folgend zu schildern, würde uns zu weit führen.

Die Vereinigung des Apollinischen und Dionysischen sieht Nietzsche in der attischen Tragödie vollzogen. Apollinischen Charakters ist sie, insofern sie in Bildern und Gestalten, den Bewohnern der Welt des schönen Scheines, plastisch zu uns redet. Dionysisch aber ist ihre Musik, und dionysische Weisheit spricht aus ihr. Aus der dionysischen Musik „mit der erschütternden Gewalt ihres Tones, dem einheitlichen Strom ihres Melos und der durchaus unvergleichlichen Welt ihrer Harmonie", der gegenüber jede vorherige Musik nur als „eine Architektonik in Tönen" zu bezeichnen ist, redet unmittelbar der Wille, in ihm symbolisiert sich der Urwiderspruch und Urschmerz im Herzen des Ureinen, und eben diesen offenbart uns auch die dionysische Weisheit und Erkenntnis.

So tönt es uns aus dem Sophokleischen Oedipus als schreckensvolle Wahrheit entgegen: „Die Spitze der Weisheit kehrt sich gegen den Weisen, Weisheit ist ein Verbrechen an der Natur", und so enthüllt sich uns in dem Schicksal des Aeschyleischen Prometheus, des titanisch strebenden Künstlers, der in sich den trotzigen Glauben findet, durch seine Weisheit Menschen schaffen und Götter stürzen zu können, das Verhängnis der Welt, das an den Anfang jeder aufsteigenden Kultur den Frevel setzt. Aber Sophokles wie Aeschylus verhüllen gewissermaßen diesen tiefsten Kern des Mythos in apollinischer Gestaltung. Da erscheint Oedipus als der edle Mensch, der trotz seiner Weisheit zum Irrtum und Elend bestimmt am Ende durch sein ungeheures Leiden eine magische, segensreiche Wirkung ausübt. Tröstend tönt es uns entgegen: der edle Mensch sündigt nicht! Mag er auch unschuldig schuldvoll die ehrwürdigsten Satzungen zerbrechen, aus seinem eigenen Leiden sprießen ungeahnte Kräfte, die auf den Ruinen neues Leben entstehen lassen. Und da tritt uns im Prometheus in der Darstellung der Götterwelt, als in Not befindlich und von der Ahnung einer Götterdämmerung erfüllt, der apollinische Drang nach Gerechtigkeit entgegen. Apollinisch, insofern Apollo der Gott des Maßes und der Gerechtigkeitsgrenzen ist. So läßt sich der tiefste Sinn des Prometheus-Mythos in die Worte fassen: „Alles Vorhandene ist gerecht und ungerecht und in beidem gleichberechtigt.“ Darin spricht sich zugleich der ethische Untergrund der pessimistischen Tragödie aus, den Nietzsche findet in der Rechtfertigung des menschlichen Uebels, und zwar sowohl der menschlichen Schuld, als des dadurch verwirkten Leidens.

So sehen wir, daß der dionysische Dichter, der Dichter der dionysischen Tragödie wie der Lyriker, nicht in der Welt der Erfahrung beharrt, daß ihn seine Sehnsucht vielmehr über sie hinausträgt. Mit einem tieferen Blicke begabt, durchdringt er die Hülle des schönen Scheines, von der der apollinische umfangen bleibt, und erkennt die Unzulänglichkeit des Daseins. Das, was sie im tiefsten und auf ewig trennt, kennzeichnet sich damit als eine verschiedene Stellung ihres Innern zu der sie umgebenden Welt. Eben dieses, das eigentlich Reale an dichterischen Schöpfungen, trennt den naiven vom sentimentalischen Dichter im Sinne Schillers.

Der sentimentalische Dichter ist, wie Schiller sagt,

subjektiv. Er rührt uns durch Ideen, die Phantasie drängt sich bei ihm der Anschauung, die Denkkraft der Empfindung zuvor, er gibt nie den Gegenstand, sondern nur, was sein reflektierender Verstand aus dem Gegenstand machte. Diese Eigenschaften des sentimentalischen Dichters beruhen auf der Stellung seines Inneren zur Wirklichkeit. Der naive Dichter ist, wie wir sahen, Natur, der sentimentalische sucht nach dem Ausdrucke Schillers die verlorene. Er verhält sich also der empirischen Realität gegenüber ablehnend. Seine Sehnsucht geht über sie hinaus in eine ideale Welt, eine Welt der Ideen. Diese bilden daher sein eigentliches Thema.

Wie wir sahen, ist das auch bei dem dionysischen Dichter der Fall. Die beiden Beispiele, die Nietzsche ausführlich behandelt, sind beredte Zeugen dafür. Das, was sie von allen Erzeugnissen apollinischer Kunst grundlegend unterscheidet, ist, daß sie eine Idee zum Ausdruck bringen, die nicht unmittelbar gegeben ist, sondern sich nur dem tiefer Schauenden offenbart. Diese Idee ist bei dem dionysischen Dichter immer ein und dieselbe, wenn auch in verschiedenen Variationen, nämlich die Idee von dem Urwiderspruch und dem Urleiden alles Seins, über das das Leben immer von neuem triumphiert. Auch bei Schiller ist die Idee, die der sentimentalische Dichter versinnlicht, im Grunde ein und dieselbe und mit der des dionysischen auf das engste verwandt, nämlich die von der Unzulänglichkeit der Wirklichkeit und dem ihr gegenüber aufzurichtenden Ideal. Aber die sentimentalische Dichtung ist mannigfaltiger, insofern der sentimentalische Dichter sowohl die Idee, wie auch die

Wirklichkeit selbst unter dem Aspekte der Idee behandelt, woraus die verschiedenen Dichtungsarten der Elegie, Satire und Idylle erwachsen. Und da der Dichter die ihn umgebende Wirklichkeit nur nach dem Gesetze seiner Persönlichkeit gestalten kann, wird er subjektiv, während der Naive objektiv bleibt, da er auf eine Gestaltung verzichtet, sich vielmehr darauf beschränkt, die Welt, die ihn umgibt, widerzuspiegeln. Eine solche Art von Subjektivität ist dem dionysischen Dichter fremd. Seine Stellung gegenüber der Wirklichkeit ist einseitiger. Dafür aber ruht sein Wesen nach der Nietzscheschen Auffassung auf einem tieferen, halb mystischen Grunde.

So ließe sich denn schon jetzt, was den ästhetischen Charakter der beiden Paare von Grundtrieben anbetrifft, behaupten, daß sie verwandt sind, ja, daß das Apollinische und Dionysische nichts anderes bedeutet, als eine Fortbildung oder besser gesagt Umbildung, ja teilweise Verengerung des Naiven und Sentimentalischen und zwar in Schopenhauerisch-metaphysischem Sinne.

Betrachten wir aber die historische Bedeutung der in Frage stehenden Begriffe, so ergibt sich eine auf den ersten Blick nicht unwesentliche Differenz. Nach Nietzsche stellt die höchste Blüte der griechischen Kunst eine Vereinigung des Apollinischen und Dionysischen dar. Für Schiller beginnt die Zeit der Herrschaft des Sentimentalischen aber erst nach Beendigung jener Epoche. Euripides ist der Dichter, bei dem sich zuerst nach seiner Ansicht eine äußerst auffallende „Veränderung der Empfindungsweise" zeigt. Und eben Euripides wird von Nietzsche als der geschildert, der im Bunde mit Sokrates der tragischen

Kultur der Griechen ein Ende bereitet. Danach könnte das Dionysische als allein vor diesem Zeitpunkte sich voll entfaltend mit dem Sentimentalischen als erst nach ihm zur Geltung kommend keinerlei Beziehung haben. Wenn das trotzdem der Fall ist, so liegt das daran, daß der Begriff des Sentimentalischen weiter ist als der des Dionysischen. Das Sentimentalische hat einen doppelten Charakter, einen transzendenten, wenn man so sagen will, insofern es aus der über die Welt der Erfahrung hinausweisenden, allen Menschen innewohnenden Sehnsucht nach einer idealen Welt erwächst, und einen rationalen, insoweit es auf einer verstandesmäßigen Kritik der Wirklichkeit beruht, daher in den Werken des sentimentalischen Dichters die Reflexion, wie Schiller sagt, vorherrscht. Dies verstandesmäßige Element findet Nietzsche in Euripides und vor allem in Sokrates, als welcher recht im Gegensatz zu dem bis dahin im allgemeinen geübten instinktiven Handeln alles Handeln auf das Erkennen zu begründen unternimmt. Dem Dionysischen entspricht das Sentimentalische also, sobald wir die historischen Gegensätze ins Auge fassen, soweit es rationalen Charakters ist, nicht; wohl aber soweit es transzendenten Charakter hat. Das leuchtet zunächst nicht unmittelbar ein, wird aber unzweifelhaft, wenn wir uns noch mehr, als es bisher geschehen ist, klar machen, in welchem Lichte Schiller die Griechen sah.

An der bekannten Stelle im sechsten Briefe der „Briefe über die ästhetische Erziehung des Menschen", preist er sie als das Volk, in dem der Charakter der Menschheit seinen schönsten Ausdruck gefunden habe. „Zugleich voll Form und Fülle," heißt es da, „zugleich philosophierend und bildend, zugleich zart und energisch, sehen wir sie die Jugend der Phantasie mit der Männlichkeit der Vernunft in einer herrlichen Menschheit vereinigen." Die Simplizität, die er an ihnen an anderen Stellen rühmt, ist also nicht Einfalt. Ihr Naturzustand kein Zustand der Beschränkung, sondern der reichsten Vollendung. Sie vereinigen die Jugend der Phantasie mit der Männlichkeit der Vernunft. Sie müssen also auch jenen Ideenreichtum besessen haben, der nach Schiller vorzugsweise dem sentimentalischen Dichter zukommt. Im Grunde sah Schiller trotz mancher Aeußerungen, die dagegen zu sprechen scheinen, in der Kunst der Griechen jene Vereinigung des Naiven und Sentimentalischen, die sich ihm als letztes Ziel der Dichtkunst darstellt, vollzogen. Und also ist in der Dichtung der Griechen der vorsokratischen Epoche das Sentimentalische, soweit es transzendenten Charakter hat, enthalten. Es hat sich mit dem Naiven vermählt, wie das Dionysische mit dem Apollinischen.

Und wie diese nach Nietzsches Ausdruck gepaart erscheinen, nicht durch eine weise leitende Vernunft, sondern durch einen metaphysischen Wunderakt, so ist nach Schiller die Vereinigung des Naiven und Sentimentalischen bei den Griechen vollzogen, dank einer außerordentlich glücklichen Naturanlage und außerordentlich glücklicher Lebensbedingungen, aber nicht errungen auf dem Wege der Vernunft und Selbsterziehung. Dies zu erreichen, die Vereinigung zu erringen, ist Aufgabe der Zukunft, die aber schon in der Gegenwart für Schiller wie für Nietzsche durch ein alle überragendes Genie gelöst ist. Denn wie Schiller namentlich in der Zeit, in der er so begeistert über

3*

den Wilhelm Meister urteilte, in Goethe den Dichter sah, der der Idee der Dichtung, der Verschmelzung des Naiven und Sentimentalischen, am nächsten kam, so glaubte Nietzsche in dem Gesamtkunstwerk Richard Wagners jene Vermählung des Apollinischen und Dionysischen von neuem zur Wahrheit geworden.

Die sich uns so ergebende enge Verwandtschaft der von Schiller und Nietzsche aufgestellten Paare ästhetischer Grundtriebe, beziehungsweise Begriffe, findet ihre Bestätigung in Nietzsches eigenen Worten, der in den nachgelassenen Aufzeichnungen bemerkt: „Der Begriff des Naiven und Sentimentalen ist zu steigern.“ Sie würde nun für das, was in diesem Buche bewiesen werden soll, von untergeordneter Bedeutung sein, wenn ihnen nicht eine über den Bereich künstlerischer Betätigung hinausgehende, allgemeinere und tiefere Bedeutung zugrunde läge.

II.

Die Kulturkritik.

Jene Vereinigung nämlich des Naiven und Sentimentalischen sowohl wie des Apollinischen und Dionysischen stellt nicht nur die Idee der Dichtung dar, das aus ihrer Verschmelzung geborene Kunstwerk den höchsten Inbegriff künstlerischer Vollendung, sondern sie dient für Schiller, wie für Nietzsche als Symbol des menschlich Vollkommenen, als tiefste Versinnlichung eines höchsten Kulturbegriffes.

Für Schiller ist die Idee der Dichtung identisch mit der Idee der Menschheit. Für Nietzsche bedeutet das Gesamtkunstwerk Richard Wagners die Morgenröte einer neuen Kultur. Bei beiden erwächst diese Vorstellung aus dem Kontrast zwischen dem Ideal und der Wirklichkeit. Wenn sie beide dahin gelangen, wie wir des weiteren sehen werden, ein neues Kulturideal aufzustellen, so ist der allgemeinste Grund dafür darin zu finden, daß sie die Form der Kultur, in deren Mitte sie lebten, verurteilten, ja ihr den Wert einer Kultur überhaupt absprachen. Der Begriff der Kultur wird ihnen damit zum Problem.

Daß Schiller die Kultur seiner Zeit auf das ungünstigste beurteilt hat, ließe sich durch eine Fülle einzelner Aeußerungen belegen. Der Vorzug, den der antike Künstler in seinen Augen vor dem modernen besaß, beruhte ihm zum nicht geringsten Teile darauf, daß jener von einer schönen Natur- und Menschenwelt umgeben war, dieser aber von einer häßlichen und unharmonischen. Daher der moderne Dichter genötigt sei, zu idealisieren, das heißt, empirische Formen auf ästhetische zu reduzieren. Ausführlich und zusammenhängend aber hat sich Schiller über die Kultur seiner Zeit in den „Briefen über die ästhetische Erziehung des Menschen" ausgesprochen.

Schiller wirft hier im Hinblick auf die große französische Revolution, deren Entwicklung damals alle Gemüter beschäftigte, die Frage auf, ob die damalige Menschheit reif gewesen sei, den Naturstaat oder auch Notstaat, das heißt den auf dem Wege der historischen Entwicklung erwachsenen Staat mit dem Vernunftstaat zu vertauschen. Er verneint diese Frage. Die physische Möglichkeit, das Gesetz auf den Thron zu stellen, den Menschen endlich als Selbstzweck zu ehren und wahre Freiheit zur Grundlage der politischen Verbindung zu machen, sei gegeben gewesen, aber der freigebige Augenblick habe ein unempfängliches Geschlecht gefunden. „In seinen Taten malt sich der Mensch," ruft er aus, „und welche Gestalt ist es, die sich in dem Drama der jetzigen Zeit abbildet! Hier Verwilderung, dort Erschlaffung: die zwei Aeußersten des menschlichen Verfalls und beide in einem Zeitraum vereinigt!" Er führt das weiter aus. Daß er in den unteren Klassen rohe, gesetzlose Triebe findet, die nach Auflösung der bürgerlichen Ordnung „mit unlenkbarer Wut zu ihrer tierischen Befriedigung eilen", kann nicht wundernehmen. Bemerkenswerter ist, daß er auch in den oberen Schichten nur die Zeichen der Dekadenz, wie wir heute sagen würden, erblickt. Unter der Tünche einer glänzenden Kultur des Geistes und der Sitten sieht er dieselben Kräfte walten wie in den ungebildeten Schichten des Volkes: Genußsucht, Egoismus, Hartherzigkeit, Mangel an Selbstdisziplin, materialistische Auffassung des Lebens, und daraus erwachsend die feige Angst um den Besitz, die jeden edleren Trieb nach Verbesserung erstickt. Und die Kultur selbst scheint ihm die Quelle des Uebels zu sein. „Weit entfernt," sagt er, „uns in Freiheit zu setzen, entwickelt sie mit jeder Kraft, die sie in uns ausbildet, nur ein neues Bedürfnis. Die Bande des Physischen schnüren sich immer beängstigender zu, so daß die Furcht, zu verlieren, selbst den feurigen Trieb nach Verbesserung erstickt, und die Maxime des leidenden Gehorsams für die höchste Weisheit des Lebens gilt. So sieht man den Geist der Zeit zwischen Verkehrtheit und Rohigkeit, zwischen Unnatur und bloßer Natur, zwischen Superstition und moralischem Unglauben schwanken, und es ist bloß das Gleichgewicht des Schlimmen, was ihm zuweilen noch Grenzen setzt."

Man kann kaum pessimistischer urteilen und sich kaum schärfer ausdrücken. Aber damit nicht genug.

Die Vorwürfe, die Schiller hier gegen die ungebildeten, wie gegen die gebildeten Schichten seiner Zeitgenossen erhebt, sind gleichartig. Was er an ihnen tadelt, beruht im Grunde nur auf einer mangelhaften Beherrschung der sinnlichen Natur durch die geistige. Liegt das bei den unteren Schichten offen zutage, so muß man bei den oberen Ständen erst den Firnis der äußeren Kultur entfernen, um auf denselben Tatbestand zu stoßen. Während aber bei den unteren Ständen für den Mangel an Selbstbeherrschung die Fülle, wenn auch ungebändigter Kraft entschädigt, zeigen sich die oberen zugleich im Zustande äußerster Erschlaffung des Willens.

Man wird bei der Lektüre der Schillerschen Sätze unmittelbar an die ersten Reden Zarathustras erinnert: „Aber auch ihr noch, meine Brüder, sprecht mir: Was kündet euer Leib von eurer Seele? Ist eure Seele nicht Armut und Schmutz und ein erbärmliches Behagen?" —

„Was ist das Größte, das ihr erleben könnt? Das ist die Stunde der großen Verachtung. Die Stunde, in der euch auch euer Glück zum Ekel wird, und ebenso eure Vernunft und eure Tugend."

Die Stunde, wo ihr sagt: „Was liegt an meinem Glücke! Es ist Armut und Schmutz und ein erbärmliches Behagen. Aber mein Glück sollte das Dasein selber rechtfertigen!"

Die Stunde, wo ihr sagt: „Was liegt an meiner Vernunft. Begehrt sie nach Wissen wie der Löwe nach seiner Nahrung? Sie ist Armut und Schmutz und ein erbärmliches Behagen!"

Die Stunde, wo ihr sagt: „Was liegt an meiner Tugend! Noch hat sie mich nicht rasend gemacht. Wie müde bin ich meines Guten und Bösen! Alles dies ist Armut und Schmutz und ein erbärmliches Behagen!"

Die Stunde, wo ihr sagt: „Was liegt an meiner Gerechtigkeit! Ich sehe nicht, daß ich Glut und Kohle wäre. Aber der Gerechte ist Glut und Kohle!"

Die Stunde, wo ihr sagt: „Was liegt an meinem Mitleiden! Ist nicht Mitleid das Kreuz, an das der genagelt wird, der die Menschen liebt? Aber mein Mitleiden ist keine Kreuzigung."

Spracht ihr schon so? Schrieet ihr schon so? Ach, daß ich euch schon so schreien gehört hätte!

Nicht eure Sünde — eure Genügsamkeit schreit gen Himmel, euer Geiz selbst in eurer Sünde schreit gen Himmel!"

Es ist das Bild des Genügsamen, des Satisfait, dessen besondere Spielart den Bildungsphilister Nietzsche in der ersten unzeitgemäßen Betrachtung: „David Strauß, der Bekenner und Schriftsteller", an den Pranger gestellt hat.

Dieses schwächliche Sichgenügenlassen, diese Erschlaffung aller edlen und starken Triebe, ja aller Triebe, mit Ausnahme dessen nach Erhaltung des Besitzes ist es, wie gesagt, die der Entartung der oberen Stände nach Schiller noch eine besondere Nuance verleiht. Indessen sieht er hierin, wie oben schon angedeutet, noch nicht die bedenklichste und eigentlich charakteristische Wirkung der Kultur.

Wir sahen, wie Schiller die Griechen als das Volk preist, in dem die Menschheit ihren schönsten Ausdruck gefunden habe. Was sie ihm zu so vollkommenen Abbildern der Idee der Menschheit macht, ist, daß bei ihnen, wie er sich ausdrückt, „die Sinne und der Geist noch kein streng geschiedenes Eigentum hatten." Jeder von ihnen war, wie wir sagen würden, ein ganzer Mensch. Bei den neueren aber, klagt Schiller, müsse man von Individuum zu Individuum herumfragen, um die Totalität der Gattung zusammenzulesen. Die Gemütskräfte äußerten sich auch in der Erfahrung so getrennt, wie der Psychologe sie in der Vorstellung scheide, und nicht bloß einzelne Subjekte, sondern ganze Klassen von Menschen entfalteten nur einen Teil ihrer Anlagen, während die übrigen, wie bei verkrüppelten Gewächsen, nur mit matter Spur angedeutet seien. „Ewig nur an ein einzelnes kleines Bruchstück des Ganzen gefesselt," sagt er, „bildet sich der Mensch selbst nur als ein Bruchstück aus, ewig nur das eintönige Geräusch des Rades, das er umtreibt, im Ohre, entwickelt er nie die Harmonie seines Wesens, und anstatt die Menschheit in seiner Natur auszuprägen, wird er bloß zu einem Abdruck seines Geschäfts, seiner Wissenschaft."

Das ist für Schiller eine notwendige Folge der Entwicklung. Die Erscheinung der griechischen Menschheit ist ihm ein Maximum, das auf dieser Stufe weder verharren, noch höher steigen konnte. „Sobald auf der einen Seite", heißt es, „die erweiterte Erfahrung und das bestimmtere Denken eine schärfere Scheidung der Wissenschaften, auf der anderen das verwickeltere Uhrwerk der Staaten eine strengere Absonderung der Stände und Geschäfte notwendig machte, so zerriß auch der innere Bund der menschlichen Natur und ein verderblicher Streit entzweite ihre harmonischen Kräfte." Es ist also einerseits die Wissenschaft, andererseits der Staat, die den Menschen dazu führen, einzelne Kräfte seines Wesens über die Maßen auszubilden und die anderen verkümmern zu lassen. Ist die Wissenschaft hierbei gewissermaßen unschuldig, da ihre Entfaltung unausweichlich ein solches Opfer von ihren Jüngern verlangen muß, so ist der Staat schuldig. Er begünstigt mit Bewußtsein und Absicht diese Entwicklung. Er fordert von seinen Dienern, daß sie ihm zuliebe einseitig werden. Er macht, wie Schiller sagt, das Amt zum Maßstab des Mannes, ehrt an dem einen seiner Bürger nur die Memorie, an dem anderen den tabellarischen Verstand, an einem Dritten nur die mechanische Fertigkeit, dringt hier, gleichgültig gegen den Charakter, nur auf Kenntnisse, hält dort hingegen einem Geiste der Ordnung und der Gesetzlichkeit die größte Verfinsterung des Verstandes zugute und will zugleich diese einzelnen Fertigkeiten zu einer ebenso großen Intensität getrieben wissen, als er dem Subjekt an Extensität erläßt. Alles das macht Schiller dem Staate zum Vorwurf, wenn er es auch natürlich findet, daß der Staat sein Interesse wahrnimmt und in eben dieser ausschließlichen Wahrnehmung seines Interesses es nicht als eine Empfehlung ansieht, „wenn das höhere Geistesbedürfnis des Mannes von Genie seinem Amt einen Nebenbuhler gibt," sich vielmehr leichter dazu entschließt, „seinen Mann mit einer Venus Cytherea", wie sich Schiller fein ausdrückt, „als mit einer Venus Urania zu teilen". Damit erweist sich aber der Staat nicht als ein Instrument der Kultur, sondern geradezu als Förderer der Unkultur. Und ebenso wird der Wert der Wissenschaft von diesem Standpunkte aus problematisch.

Die Wirkung dieser einseitigen Ausbildung bestimmter Kräfte des Menschen charakterisiert dann Schiller näher als eine doppelte. Die einseitige Ausbildung der Verstandeskräfte, die völlige und unbedingte Hingabe an die Idee vernichtet oder b. einträchtigt wenigstens die sinnliche Aufnahmefähigkeit. Oder wie sich Schiller ausdrückt: „Indem der spekulative Geist im Ideenreich nach unverlierbaren Besitzungen strebte, mußte er ein Fremdling in der Sinnenwelt werden.“ Statt aus der Summe der Erfahrungen die Idee herzuleiten, tritt man mit der Idee an die Erscheinungen heran und sucht sie ihnen anzupassen. Ein Verfahren, unter dem die Entwicklung der Naturwissenschaften lange gelitten hat. Und andererseits verengt die ständige Beschäftigung mit einem Fache den Gesichtskreis derartig, daß ein solchermaßen Eingeengter geneigt ist, „alle Erfahrung überhaupt“, wie Schiller sagt, „nach einem besonderen Fragment von Erfahrung zu schätzen und die Regeln seines Geschäfts jedem Geschäft ohne Unterschied anpassen zu wollen“. Und bei beiden leidet die Empfindungsfähigkeit. Die ausschließliche Verstandestätigkeit tötet die Kraft und löscht das Feuer der Phantasie, die Enge des Gesichtskreises läßt sie verarmen. „Der abstrakte Denker hat daher gar oft ein kaltes Herz, weil er die Eindrücke zergliedert, die doch nur als ein Ganzes die Seele rühren; der Geschäftsmann hat gar oft ein enges Herz, weil seine Einbildungskraft, in den einförmigen Kreis seines Berufes eingeschlossen, sich zu fremder Vorstellungsart nicht erweitern kann.“

Im ganzen wie im einzelnen dieser Kulturkritik, die schließlich Schiller dahin gelangen läßt, unumwunden auszusprechen, daß wir uns erst auf dem Wege zur Kultur befinden, also noch keine Kultur haben, vielmehr teils Wilde, teils Barbaren sind, worunter er jene zuletzt erörterte seelische Beschaffenheit versteht, wie denn auch Goethe einmal gelegentlich zu Eckermann bemerkte, es könnten noch ein paar Jahrhunderte hingehen, ehe man von den Deutschen werde sagen können, es sei lange her, daß sie Barbaren gewesen, — in alledem, wie gesagt, berührt sich Schiller auf das engste mit Nietzsche.

Die Werke der ersten Epoche Nietzsches von der „Geburt der Tragödie" bis zu „Richard Wagner in Bayreuth" behandeln, im Grunde als dasselbe Thema, das Kulturproblem, teils mehr nach der positiven, teils mehr nach der negativen Seite hin. Hier interessiert uns zunächst nur diese.

Die Geburt der Tragödie, scheinbar eine objektive historisch-ästhetisch-philosophische Untersuchung verurteilt auf das schärfste den alexandrinischen Charakter der modernen Kultur, den alexandrinischen Charakter, das heißt ihre verstandesmäßige, gelehrtenhafte Art, die Dinge der Welt zu betrachten. Die Frage, ob die Wissenschaft imstande sei, die Kultur zu fördern, wird hier verneint. Nietzsche hat diesen innersten Kern seines Buches in einer sechzehn Jahre später hinzugefügten Vorrede selbst scharf bezeichnet: „Was ich damals zu fassen bekam, etwas Furchtbares und Gefährliches, ein Problem mit Hörnern, nicht notwendig gerade ein Stier, jedenfalls ein neues Problem: heut würde ich sagen, daß es das Problem der Wissenschaft selbst war — Wissenschaft zum ersten Male als problematisch, als fragwürdig gefaßt." Wir sahen, daß auch Schiller dieses Problem schon erfaßt hatte. In der ersten unzeitgemäßen Betrachtung „David Strauß, der Bekenner und Schriftsteller", hat Nietzsche dann, wie schon oben bemerkt, die verflachende, Kraft und

Fülle der Persönlichkeit zerstörende Wirkung der sogenannten wissenschaftlichen Bildung gegeißelt und in dem am meisten anerkannten zweiten Stück „Vom Nutzen und Nachteil der Historie für das Leben", einen besonderen Zweig der Geisteswissenschaften, die Geschichte, auf ihren kultursteigernden, lebenbildenden Wert hin geprüft. Er kommt zu dem Ergebnis, daß das Uebermaß der Historie dem Leben schade, daß nur die starken Persönlichkeiten, sowohl unter den einzelnen, wie unter den Völkern sie ertrügen, die Schwachen aber vollends durch sie ausgelöscht würden.

Hier sowohl, wie in den mehr positiven unzeitgemäßen Betrachtungen: „Schopenhauer als Erzieher" und „Richard Wagner in Bayreuth" stoßen wir auf fast jeder Seite auf Bemerkungen, die nichts zu sein scheinen, als erweiterte und zum Teil vertiefte Ausführungen Schillerscher Gedanken. Unter der glühenden Sonne einer fast beispiellosen geistigen Leidenschaft sind sie, gleichsam im Schatten gewachsene Blumen des Nordens, zu wahrhaft tropischen Gewächsen, wohl oft all zu bizarrer Formen, aber auch berauschenden Duftes und berückender Farbenpracht emporgewachsen. So wenn er in „Schopenhauer als Erzieher" sagt: „Wie sieht nun der Philosoph die Kultur in unserer Zeit an? Sehr anders freilich als jene in ihrem Staat vergnügten Philosophieprofessoren. Fast ist es ihm, als ob er die Symptome einer völligen Ausrottung und Entwurzelung der Kultur wahrnehme, wenn er an die allgemeine Hast und zunehmende Fallgeschwindigkeit, an das Aufhören aller Beschaulichkeit und Simplizität denkt. Die Gewässer der Religion fluten ab und lassen Sümpfe oder Weiher zurück; die Nationen trennen sich auf das feindseligste und begehren einander zu zerfleischen. Die Wissenschaften ohne jedes Maß und im blindesten laissez faire betrieben, zersplittern und lösen alles Festgeglaubte auf; die gebildeten Stände und Staaten werden von einer großartig verächtlichen Geldwirtschaft fortgerissen. Niemals war die Welt mehr Welt, nie ärmer an Liebe und Güte. Die gelehrten Stände sind nicht mehr Leuchttürme oder Asyle inmitten aller dieser Unruhe der Verweltlichung; sie selbst werden täglich unruhiger, gedanken- und liebeloser. Alles dient der kommenden Barbarei, die jetzige Kunst und Wissenschaft miteinbegriffen. Der Gebildete ist zum größten Feinde der Bildung abgeartet, denn er will die allgemeine Krankheit wegleugnen und ist den Aerzten hinderlich. Sie werden erbittert, diese abkräftigen armen Schelme, wenn man von ihrer Schwäche spricht und ihrem schädlichen Lügengeiste widerstrebt. Sie möchten gar zu gerne glauben machen, daß sie allen Jahrhunderten den Preis abgelaufen hätten, und sie bewegen sich mit künstlicher Lustigkeit. Ihre Art, Glück zu heucheln, hat mitunter etwas Ergreifendes, weil ihr Glück so ganz unbegreiflich ist. Man möchte sie nicht einmal fragen, wie Tannhäuser den Bieterolf fragt: „Was hast du Aermster denn genossen?" Denn ach, wir wissen es ja selber besser und anders. Es liegt ein Wintertag auf uns und am hohen Gebirge wohnen wir, gefährlich und in Dürftigkeit. Kurz ist jede Freude, und bleich jeder Sonnenglanz, der an den weißen Bergen zu uns herabschleicht. Da ertönt Musik, ein alter Mann dreht einen Leierkasten, die Tänzer drehen sich — es erschüttert den Wanderer dies zu sehen: so wild, so verschlossen, so farblos, so hoffnungslos ist alles, und jetzt darin ein Ton der Freude, der gedankenlosen lauten Freude! Aber schon schleichen die Nebel des frühen Abends, der Ton verklingt, der Schritt des Wanderers knirscht; so weit er noch sehen kann, sieht er nichts als das öde und grausame Antlitz der Natur."

Oder an einer anderen Stelle: „Es sind gewiß Kräfte da, ungeheure Kräfte, aber wilde, ursprüngliche und ganz und gar unbarmherzige. Man sieht mit banger Erwartung auf sie hin, wie in den Braukessel einer Hexenküche, es kann jeden Augenblick zucken und blitzen, schreckliche Erscheinungen ankündigen. Seit einem Jahrhundert sind wir auf lauter fundamentale Erschütterungen vorbereitet. — Daß die einzelnen sich so gebärden, als ob sie von allen diesen Besorgnissen nichts wüßten, macht uns nicht irre: ihre Unruhe zeigt es, wie gut sie davon wissen; sie denken mit einer Hast und Ausschließlichkeit an sich, wie noch nie Menschen an sich gedacht haben, sie bauen und pflanzen für ihren Tag, und die Jagd nach Glück wird nie größer sein, als wenn es zwischen heut und morgen erhascht werden muß: weil morgen vielleicht überhaupt alle Jagdzeit zu Ende ist."

Was Nietzsche ferner von der Selbstsucht des Staates sagt, soweit er als kulturfördernde Macht aufzutreten vorgibt, deckt sich völlig mit den Schillerschen Ausführungen: „Ueberall, wo man jetzt von Kulturstaat redet, sieht man ihm die Aufgabe gestellt, die geistigen Kräfte einer Generation so weit zu entbinden, daß sie damit den bestehenden Institutionen dienen und nützen können: aber auch nur so weit; wie ein Waldbach durch Dämme und auf Gerüsten teilweise abgeleitet wird, um mit der kleineren Kraft Mühlen zu treiben, — während seine volle Kraft der Mühle eher gefährlich als nützlich wäre. Jenes Entbinden ist zugleich und noch vielmehr ein Infesselnschlagen." Nietzsche hat sich an anderen Stellen noch ausführlicher darüber ausgelassen. Immer ist ihm der Staat mehr eine kulturhemmende, als eine kulturfördernde Macht gewesen. Im Zarathustra hat er die stärksten Worte gegen ihn gefunden:

„Für die Ueberflüssigen ward der Staat erfunden. Seht mir doch, wie er sie an sich lockt, die Vielzuvielen! Wie er sie schlingt und kaut und wieder kaut!"

„Auf der Erde ist nichts Größeres als ich: der ordnende Finger bin ich Gottes." — Also brüllt das Untier. Und nicht nur Langgeohrte und Kurzgeäugte sinken auf die Kniee!

Ach, auch in euch, ihr großen Seelen, raunt er seine düstren Lügen! Ach, er errät die reichen Herzen, die gerne sich verschwenden!

Ja, auch euch errät er, ihr Besieger des alten Gottes! Müde wurdet ihr im Kampfe, und nun dient eure Müdigkeit noch dem neuen Götzen!

Helden und Ehrenhafte möchte er um sich aufstellen, der neue Götze! Gerne sonnt er sich im Sonnenschein guter Gewissen, das kalte Untier!

Alles will er euch geben, wenn ihr ihn anbetet, der neue Götze: also kauft er sich den Glanz eurer Tugend, den Blick eurer stolzen Augen.

Ködern will er mit euch die Vielzuvielen. Ja

ein Höllenkunststück ward da erfunden, ein Pferd des Todes, klirrend im Putz göttlicher Ehren.

Ja, ein Sterben für viele ward da erfunden, das sich selber als Leben preist, wahrlich ein Herzensdienst allen Predigern des Todes.

Staat nenne ich's, wo alle Gifttrinker sind, Gute und Schlimme, Staat, wo alle sich selber verlieren, Gute und Schlimme, Staat, wo der langsame Selbstmord aller das Leben heißt."

Wenn man diese harten Worte, diese scheinbar maßlosen Anklagen liest, erinnern sie zunächst kaum an das, was Schiller über den Staat und seine Diener gesagt hat. Im Grunde aber sagen sie dasselbe. Schiller erhob gegen den Staat den Vorwurf, daß er immer nur eine bestimmte Eigenschaft von seinen Dienern verlange, fördere und ausbilde, je nachdem, wie er sie benutzen wolle. Dadurch aber tötet er die Persönlichkeit, und ein Leben, in einem so einseitigen Dienst, in einer dauernden Betätigung nur einzelner Kräfte zugebracht, gleicht einem langsamen Selbstmord, insofern angesichts der Fülle aller der Entwicklung harrenden Kräfte ein dermaßen einseitig ausgebildeter Mensch nur als ein Toter bezeichnet werden kann. Daher beginnt für Nietzsche erst außerhalb des Staates die Welt der großen Persönlichkeiten, der wahren Menschen:

„Dort, wo der Staat aufhört, da beginnt erst der Mensch, der nicht überflüssig ist: da beginnt das Lied des Notwendigen, die einmalige und unersetzliche Weise."

Und auch Schiller ließ ja, wie wir sahen, keinen Zweifel darüber, daß nach seiner Ansicht für den

Mann von Genie im Staatsleben im allgemeinen kein Platz sei. Daß der einzelne, statt die Menschheit in sich auszuprägen, immer mehr nur zu einem Abdruck seines Geschäfts seiner Wissenschaft werde, legte er besonders dem Staate zur Last. Der Gang der Dinge im neunzehnten Jahrhundert, die immer unbedingtere Herrschaft des Prinzips der Arbeitsteilung und Arbeitszerlegung, der immer schärfer werdende Konkurrenzkampf auf allen Gebieten des Lebens konnte die gekennzeichnete Entwicklung nur fördern. Der einzelne war gezwungen, Spezialist zu werden, wollte er vorwärts kommen. Und wenn sich auch in der jüngsten Vergangenheit und in der Gegenwart entgegengesetzte Strömungen bemerklich machen, die aber noch längst nicht aufgehört haben, unterirdische zu sein, ja kaum von einer größeren Menge bemerkt worden sind, so war wohl gerade in den siebziger und achtziger Jahren des vorigen Jahrhunderts, in denen Nietzsche schrieb, jene das Individuum zerstückelnde Form des Lebens zu einer wahrhaft triumphierenden Entfaltung gekommen. So fand sich denn Nietzsche schon in den Werken seiner ersten Periode veranlaßt, immer wieder gegen sie zu Felde zu ziehen, und im Zarathustra finden wir die Worte:

„Wahrlich, meine Freunde, ich wandle unter den Menschen, wie unter Bruchstücken und Gliedmaßen von Menschen!"

„Dies ist meinem Auge das Fürchterliche, daß ich den Menschen zertrümmert finde und zerstreut wie über ein Schlacht- und Schlächterfeld hin."

„Und flüchtet mein Auge vom Jetzt zum Ehemals: es findet immer das gleiche: Bruchstücke und Gliedmaßen und grause Zufälle — aber keine Menschen!"

Und das ist um so bemerkenswerter, als der Nietzsche der dritten Periode, die durch den Zarathustra gekennzeichnet wird, den Hauptton auf die durch die ethischen Werte des Christentums hervorgebrachte allgemeine Schwächung des menschlichen Charakters legt. Das ist der Punkt, auf den er in dieser Zeit seine heftigsten Angriffe richtet. Es wird noch weiter darüber zu reden sein. Daß auch Schiller in der allgemeinen Schwäche des Trieblebens, die alle Triebe mit Ausnahme des einen nach Vermehrung des Besitzes verkümmern läßt, mit das wichtigste Symptom kulturellen Niederganges sah, wissen wir schon. Und daß er auch in dem allgemein herrschenden Streben nach Unsterblichkeit nichts anderes sah, als ein mit dem Schleier der Religion verhülltes Streben nach Glückseligkeit, die Gier nach dem kleinen Glück, wie es Nietzsche nennt, lehrt uns der 24. Brief, wo es heißt: „Eine grenzenlose Dauer des Daseins und Wohlseins, bloß um des Daseins und Wohlseins willen, ist bloß ein Ideal der Begierde, mithin eine Forderung, die nur von einer ins Absolute strebenden Tierheit kann aufgeworfen werden."

Nehmen wir alles zusammen, so kann es keinem Zweifel unterliegen, daß die Grundlinien der Kulturkritik bei Schiller und Nietzsche dieselben sind. Es ließe sich das noch im einzelnen des weiteren belegen. Indessen wesentlicher als alle Verneinung ist die Bejahung. Ja jene hat ohne diese keinen Wert. Aber wer zum Ja will, muß durch das Nein. Eben der Anblick des Mißratenen und Verkehrten ist es, der ihn antreibt, nach dem Besseren zu suchen. Das Schlechte jedoch überhaupt zu sehen, ist ein Zeichen der Güte der eigenen Natur. Nur wer in sich den

Trieb zum Bessern trägt, sieht es. Oder wie Nietzsche sagt: „Es gibt eine Art zu verneinen und zu zerstören, welche gerade der Ausfluß jener mächtigen Sehnsucht nach Heiligung und Errettung ist, als deren erster philosophischer Lehrer Schopenhauer unter uns entheiligte und recht eigentlich verweltlichte Menschen trat." Diese Sehnsucht erfüllte Schiller wie Nietzsche, und aus dem Gefühl dieser Sehnsucht heraus unterwarfen sie beide die Welt, die sie umgab, in der sie zu leben verurteilt waren, einer vernichtenden Kritik. Und diese Sehnsucht ließ sie von der Verneinung zur Bejahung fortschreiten, dieser entarteten Welt eine ideale Welt gegenüberstellen, das Bild des Menschen und aller Menschenzukunft von neuem aufrichten. Womit wir denn in unmittelbare Nähe des eigentlichen Zieles unserer Betrachtung gelangt wären.

III.

Das Ziel der Menschheit.

Es ist oben gesagt worden, daß die Vereinigung des Naiven und Sentimentalischen nach Schiller die Idee der Dichtung darstellt, die ihm identisch ist mit der Idee der Menschheit. Des ästhetischen Charakters entkleidet, bezeichnet, wie wir sahen, das Naive und Sentimentalische eine verschiedene Stellung des Dichters zur Wirklichkeit, die ihrerseits einer allgemeinen menschlichen Anlage entspricht. Zwei Seiten, oder besser gesagt, die beiden Seiten der menschlichen Natur, kommen in ihr zum Ausdruck. Diese beiden Seiten der menschlichen Natur sind nach Schiller das empfangende und das selbsttätige Vermögen. Diese beiden Vermögen ergeben sich ihm unmittelbar aus der Betrachtung des menschlichen Daseins. „Nicht weil wir denken, wollen, empfinden, sind wir; nicht weil wir sind, denken, wollen, empfinden wir. Wir sind, weil wir sind, wir empfinden, denken und wollen, weil außer uns noch etwas anderes ist.“

Das ist ihm eine unmittelbar einleuchtende Wahrheit. Und daraus ergibt sich ihm, daß der Mensch von Natur ein zwiespältiges Wesen ist. Er fühlt sich als Ich, als freie, selbsteigene und verantwortliche Person und zugleich als abhängig und beeinflußt von den Dingen der Außenwelt. Er ist also zugleich „Person" und „Zustand". Und diesem doppelten Sein entsprechen doppelte Triebe: der „Sachtrieb" und der „Formtrieb". Sucht jener die Dinge der Außenwelt an sich zu reißen, in sich aufzunehmen, zu empfangen, so trachtet dieser als Ausdruck der geistigen Persönlichkeit des Menschen danach, die Dinge nach den Gesetzen seiner Vernunft zu gestalten. In einer solchen Wechselwirkung zwischen diesen beiden Trieben, „wo die Wirksamkeit des einen die Wirksamkeit des anderen zugleich begründet und begrenzt, und wo jeder einzelne für sich gerade dadurch zu seiner höchsten Verkündigung gelangt, daß der andere tätig ist", in der weitgehendsten und dennoch harmonischen Ausbildung der diesen Trieben entsprechenden Kräfte der menschlichen Natur, des empfangenden und des selbsttätigen Vermögens, erblickt Schiller die Idee der Menschheit.

„Je vielseitiger sich die Empfänglichkeit ausbildet," sagt er, „je beweglicher dieselbe ist und je mehr Fläche sie den Erscheinungen darbietet, desto mehr Welt ergreift der Mensch, desto mehr Anlage entwickelt er in sich; je mehr Kraft und Tiefe die Persönlichkeit, je mehr Freiheit die Vernunft gewinnt, desto mehr Welt begreift der Mensch, desto mehr Form schafft er außer sich. Seine Kultur wird also darin bestehen, erstlich: dem empfangenden Vermögen die vielfältigsten Berührungen mit der Welt zu verschaffen und auf seiten des Gefühls die Passivität aufs Höchste zu treiben; zweitens: dem bestimmenden Vermögen die höchste Unabhängigkeit von dem empfangenden zu erwerben und auf seiten der Vernunft die Aktivität aufs Höchste zu treiben. Wo beide Eigenschaften sich vereinigen, da wird der Mensch mit der höchsten Fülle von Dasein die höchste Selbständigkeit und Freiheit verbinden, und anstatt sich an die Welt zu verlieren, diese vielmehr mit der ganzen Unendlichkeit ihrer Erscheinungen in sich ziehen und der Einheit seiner Vernunft unterwerfen."

Es ist das Ideal der Totalität, wie er es sonst auch bezeichnet hat, das Schiller hiermit aufstellt. Das Ideal der völligen Harmonie zwischen Sinnlichkeit und Vernunft, aber einer Harmonie, die nicht etwa auf der Schwäche der Triebe beruht, wie denn das Schwache am leichtesten sich miteinander verträgt, daher denn solchermaßen harmonische Menschen in größerer Anzahl zu treffen sind, ohne daß ihr Anblick gerade erfreulich wirkt, sondern eine Harmonie trotz und infolge der höchsten Entfaltung und Steigerung aller im Menschen liegenden Kräfte und Anlagen. Sich diesem Ideale in allmählichem Fortschreiten zu nähern, betrachtet Schiller als das Ziel und die Aufgabe der Menschheit.

Versuchen wir es, uns über den Charakter dieses Zieles in seinen Grundzügen klar zu werden.

Schillers Denken liebt es, sich in Gegensätzen zu bewegen. Am stärksten empfand er immer den zwischen der sinnlichen und der geistigen Natur des Menschen. Er empfand ihn so stark, weil er in ihm selbst scharf ausgeprägt war. Man begreift Schiller nur, wenn man ihn erfaßt als eine von heftigster Leidenschaft des Willens durchpulste Persönlichkeit, die zugleich durchglüht war von einer nicht geringeren Leidenschaft des Empfindens. Diese riß ihn in die

Stürme seiner Jugend. Sie spricht in einer oft maßlosen Sprache aus seinen frühesten Werken. Und wie sein äußeres Leben in Unsicherheit und Wirrnis Ruhe und Stetigkeit verlor, so entbehrten auch seine Ideale der Klarheit und Festigkeit. Es gab Zeiten, in denen er in verschwommen gefühlsmäßiger Schwärmerei und aus ihr entspringender Verneinung des Bestehenden das Beste, was in ihm war, zu verlieren drohte. Selbst der Don Carlos ist noch nicht frei davon, obwohl sich gerade in ihm die Wendung vollzieht zur Setzung eines positiven Ideals. Es hat den Anschein, als ob sich gerade das Bild dieses noch nicht zur Reife gelangten Schiller am zähesten ein Jahrhundert lang in den Köpfen der Deutschen festgesetzt habe, so daß sich noch heute die Vorstellung eines verschwommenen Idealismus unmittelbar mit seinem Namen verbindet. Er selbst gelangte bald dahin, diese Art von Idealismus, die ihn völlig übrigens nie besessen hatte, zu überwinden. Er erkannte früh genug, daß noch eine Riesenarbeit vor ihm lag, daß es galt, in die Tiefen der Erkenntnis vorzubringen, die Schäden, die eine einseitige und mangelhafte Jugendbildung in ihm gewirkt hatte, zu überwinden, ehe er daran gehen konnte, das Kunstwerk zu schaffen, das ihm das Recht gab, sich neben den größten und gefeiertsten Mann seines Jahrhunderts zu stellen. Denn früh und mit seltener Bewußtheit und Entschlossenheit richtete er sich selbst das Ziel seines Lebens auf. Keinen noch so außerordentlichen oder seltsamen Weg wolle er scheuen, schreibt er 1787, seit zwei Monaten in Weimar, seinem Freund Huber, um zum Ziele zu gelangen, um „den höchsten Genuß eines denkenden Geistes, Größe,

Hervorragung, Einfluß auf die Welt und Unsterblichkeit des Namens" zu erwerben. Und danach handelte er. Man kann sagen, er schuf sich selbst mit der äußersten Anspannung des Willens unter ungünstigen äußeren Verhältnissen.

Es ist begreiflich, daß er in dieser Lage, in dieser kraftvollen Betätigung seines moralischen Menschen geneigt war, die selbsttätigen Kräfte im Menschen zu überschätzen und alles, was natürliche Anlage heißt, zu gering zu bewerten. In dieser Neigung bestärkte ihn zunächst die Kantsche Philosophie, in deren Studium er sich Anfang der 90er Jahre mit dem ihm eigenen Eifer vertiefte. Das, was er aus ihr entnahm, oder besser gesagt, was er in ihr fand, denn er entnahm nur aus ihr, was in ihm selbst schon war, führt uns in den innersten Kern seiner Empfindungs- und Gedankenwelt.

Er schreibt am 18. Februar 1793 an Körner: „Es ist gewiß von einem sterblichen Menschen kein größeres Wort gesprochen worden, als dieses Kantische, was zugleich der Gehalt seiner ganzen Philosophie ist: Bestimme dich aus dir selbst, sowie das der theoretischen Philosophie: Die Natur steht unter dem Verstandesgesetze."

Damit ist ihm die Welt erklärt. Auf der einen Seite das Reich der Natur, dem der Verstand das Gesetz gibt, indem er es erkennt. Ihm gehört der Mensch an als sinnliches Wesen, durch seinen Körper und seine Triebe. Auf der anderen Seite das Reich der intelligiblen Welt, das Reich der Freiheit, der praktischen Vernunft, die sich allein aus sich selbst bestimmt.

Diese Selbstbestimmung des Individuums ist es

vor allem, was ihn an Kant fesselt. Das war seine innerste Erfahrung: er fühlte sich als freie, selbsteigene Persönlichkeit, als vernünftig wollendes Wesen. Daß er nun bei Kant die philosophische Rechtfertigung dieser seiner Auffassung vom Wesen des Menschen fand, bestärkte ihn zunächst nur in seiner Neigung, die selbsttätigen Kräfte im Menschen zu überschätzen. Mehr als je war er in dieser Zeit der ersten Kantischen Wirkung in Gefahr, einer Unterdrückung der sinnlichen Triebe das Wort zu reden. Aber diesen ersten, eher schädlichen als günstigen Einfluß Kants überwand er allmählich. Er konnte sich auf die Dauer nicht an diesem schroffen Dualismus innerhalb der menschlichen Natur genügen lassen. Er mußte suchen, über ihn hinauszukommen.

Daß er es tat, daß er es tun mußte, beweist, daß in ihm ein tiefes Streben nach Einheit lebte. Die andere Seite seiner Natur, ohne die er nie ein großer Künstler hätte werden können, die sinnliche, die im Schauen und Aufnehmen ihr Genüge findet, verlangte ihr Recht. Wollte man Kant, Goethe und Schiller in eine Reihe stellen, so müßte man Schiller den mittleren Platz anweisen, und zwar so, daß er Kant ursprünglich näherstehend, allmählich näher an Goethe heranrückt. Der diametrale Gegensatz, den Schiller zwischen sich und Goethe konstruiert, wenn er diesen als eine intuitive, sich selbst als eine spekulative Natur bezeichnet, bestand in höherem Maße zwischen Goethe und Kant. Erwarb Goethe jede Erkenntnis aus dem unmittelbaren Anschauen, so verdankte Kant alles nur der ungeheuren Kraft seines Denkens. Die unmittelbare Beobachtung lehrte ihn fast nichts. Darin ist ihm Schiller sicherlich verwandt. Aber er strebte von Kant weg zu Goethe hin, einem Zuge folgend, der nicht minder tief in dem Kerne seines Wesens begründet war.

Auf ästhetischem Gebiet erweist sich das in der Tatsache, daß er in der Vereinigung der naiven und sentimentalischen, der aus dem Schauen und der aus dem Denken und dem nach lichten Höhen drängenden Willen geborenen Dichtungsart die Idee der Dichtung erblickte, auf ethischem oder allgemein menschlichem Gebiete darin, daß er Kants rigorose Sittenlehre verwarf.

Kants Lehre vom radikalen Bösen in der menschlichen Natur stieß ihn ab, und Kants in sich konsequente Auffassung, daß nur die Handlung gut zu nennen sei, die nicht mit Neigung getan werde, erschien ihm engherzig und tyrannisch. Ja, recht im Gegensatz zu ihr gelangte er zu der Aufstellung seiner Idee der Menschheit. Die Stufe, auf der der Mensch seine Menschheit nur behaupten kann durch Unterdrückung, durch Knechtung seiner sinnlichen Triebe, ist ihm nur noch eine Vorstufe zur wahren Menschheit. Er unterscheidet in den Briefen über die ästhetische Erziehung daher drei Stufen der Entwicklung: das physische, das moralische und das ästhetische Reich. In dem ersten herrscht noch die rohe ungebändigte Natur, der blinde Trieb, in dem zweiten die Vernunft nach dem rigoristischen Moralprinzip Kants, das dritte erst bildet das Reich der wahren Menschheit. Denn in ihm ist jene Harmonie der höchst gesteigerten Kräfte, die Schiller als das Ziel der Menschheit bezeichnet, erreicht. Solange der Mensch noch auf der zweiten Stufe beharrt, handelt er nur als geistiges Wesen. Er verdient dann noch gar nicht den Namen Mensch. Schiller hat das in dem bekannten Distichon prägnant zusammengefaßt:

„Kannst du nicht schön empfinden, dir bleibt doch
vernünftig zu wollen,
Und als Geist zu tun, was du als Mensch nicht
vermagst.“

So gelangte Schiller also, wenn wir die äußeren Einflüsse ins Auge fassen, von Kant ausgehend schließlich im Gegensatz zu Kant, sich Goethe nähernd zu der Aufstellung seines Ideals. Den Weg, der dahin führte, betrat er schon in der Abhandlung über Anmut und Würde mit seiner Lehre von der schönen Seele, die wir nachher in dem Begriffe des Naiven der Gesinnung wiederfinden.

Die Schönheit der Seele, wie die Naivität der Gesinnung, bedeutete ihm eine habituelle Charakterbeschaffenheit, die nicht erworben, sondern ein Geschenk der Natur ist, und die sich eben dadurch auszeichnet, daß in ihr jener Zwist zwischen Sinnlichkeit und Vernunft ausgeglichen ist, der sonst den Menschen zerreißt. Schiller sah, daß es solche Menschen gibt. Man könnte sie Wohltemperierte nennen. Das wird ihm ein unmittelbarer Einwand gegen die rigoristische Sittenlehre Kants gewesen sein. Sollte man nun solchermaßen Begnadete unmoralisch nennen, weil dem moralischen Streben in ihnen keine Gelegenheit zum Siege gegeben war, da eben jeder Boden für einen Kampf fehlte? Offenbar nicht. Es war im Gegenteil klar, daß hier das Ideal lag. Aber man kann nicht danach trachten, ein Geschenk der Natur zu erhalten; das, worauf es ankommt, ist vielmehr, mit Bewußtsein daran zu arbeiten, das zu erreichen, was die schöne Seele ohne ihr Zutun besitzt, und sich hier nicht auf ein Mittelmaß zu beschränken, das zu allermeist ein Kennzeichen der schönen Seele sein wird, sondern der höchsten Steigerung aller Kräfte der menschlichen Natur zuzustreben. Es war also mit eine Folge unmittelbarer Erfahrung, wenn Schiller sich von Kant abwandte. Um so freudiger aber ergriff er, was er bei Kant gewissermaßen als einen Teil seiner selbst fand.

Und da erkannten wir denn, daß die Auffassung des Menschen als einer frei wollenden, allein sich aus sich selbst bestimmenden Persönlichkeit der wichtigste Punkt ist, in dem sich Schiller und Kant begegnen. Der Mensch ist für Schiller das Wesen, welches will.

Und so erfassen wir denn nicht nur aus der Herleitung, die Schiller ihm gibt, sondern in noch höherem Maße aus seinem Ursprunge, das von Schiller aufgerichtete Ziel der Menschheit als ein nicht von außen, von irgendwelcher göttlichen Autorität den Menschen gesetztes, sondern als ein von den Menschen sich selbst gegebenes. Ihr Wille setzt es sich, oder besser, die Vernunft setzt es dem Willen auf Grund ihrer Einsicht in die Natur des Menschen. Denn aus ihr ist es entnommen. Damit stellt sich Schiller in scharfen Gegensatz zu allen geoffenbarten Religionen. Hier wird nichts befohlen, hier handelt es sich nicht um eine Aufgabe, auf deren Erfüllung oder Nichterfüllung Lohn oder Strafe steht. Hier ergeht vielmehr nur an uns alle der Ruf, einen tieferen Blick in das Wesen der menschlichen Natur zu tun, die Gegensätze, die in ihr liegen, und die Notwendigkeit ihrer Vereinigung zu begreifen und danach zu handeln, indem wir uns selbst erziehen. Und dieser Ruf ergeht an jeden einzelnen. Wie Schiller selbst ihn in den Stürmen seiner Jugend vernommen hatte, als er zur Männlichkeit heranzureifen begann, und ihm gefolgt war, so soll ein jeder auf ihn hören und ihm folgen. Darin offenbart sich der individualistische Charakter dieses Ideals. Die vollendete Ausbildung und Entfaltung des Individuums ist das Ziel. Aber es handelt sich dabei nicht um das Glück der Persönlichkeit. Etwa um ein Sichausleben des einzelnen in dem Sinne, den man gemeinhin damit verbindet, das heißt, um ein schrankenloses Gewährenlassen der blind waltenden Triebe, oder um ein rücksichtsloses Geltendmachen der eigenen Art zu sein. Dieses Ideal fordert im Gegenteil die äußerste Selbstzucht und ist im tiefsten Grunde selbstlos, da es einer Idee dient. Und eben darum ist es im höchsten Sinne moralisch. Nicht in dem Sinne engherzig - kirchlich - christlicher Moralität, sondern in dem allein richtigen, so wie Schiller den Begriff moralisch faßt, wenn er sagt: „Die moralische Bestimmung des Menschen fordert völlige Unabhängigkeit des Willens von allem Einfluß sinnlicher Antriebe.“ Was ins Positive gewendet, nichts anderes besagt als: Moralisch handelt, wer im Dienste einer Idee handelt.

Sehen wir weiter zu, so ist offenbar, daß dieses Ideal einen aristokratischen Charakter hat. Denn immer wird es nur den wenigsten gegeben sein, sich ihm zu nähern, oder ja es zu erreichen. Die Masse wird, wie die Dinge nun einmal liegen, in der täglichen Not des Lebens den Sinn des Daseins im allgemeinen in die Erhaltung allein der Existenz setzen. Nur mit Mühe gelingt es ihr, in diesem unablässigen, ermüdenden und aufreibenden Kampfe Momente der Ruhe zu gewinnen, um einmal Atem zu schöpfen und zur Besinnung zu kommen. Der Grad von Helligkeit der Vernunft, von Gesundheit und Fülle der Triebe, den dieses Ideal erfordert, kann unter solchen Umständen nicht gewonnen werden. Zudem ist Ungleichheit das Gesetz der Natur. „Vernunft ist stets bei wenigen nur gewesen", wie es im Demetrius heißt. Und so denkt und schreibt Schiller für die höheren Menschen. Von ihnen aber verlangt er, an einer weiteren Verbreitung seines Ideals zu arbeiten. Denn wenn es sich auch zunächst und in erster Linie an die gegenwärtig Lebenden wendet, seine Verwirklichung in dieser Zeit, in ihrem Dasein fordernd, so daß das Ziel der Menschheit in jedem Augenblick in den höchst entwickelten Individuen erreicht sein kann, so schwebt es doch auch wie das glückverheißende Ende einer mühseligen und gefahrvollen Wanderung vor den Augen aller. Erst, wenn sich der ganzen Menschheit die Tore des ästhetischen Reiches geöffnet hätten, wäre das Ziel erreicht. Darum heischt dieses Ideal die Mitarbeit aller. Schiller hat das in dem bekannten Distichon ausgedrückt:

„Immer strebe zum Ganzen, doch kannst du selber kein Ganzes sein,
Schließ als ein dienendes Glied willig dem Ganzen dich an."

Daher ist es richtiger, diesen aristokratischen Individualismus, soweit er die Menge der Begabteren, nicht das Genie selbst angeht, als Subjektivismus zu bezeichnen, in dem Sinne, den Karl

Lamprecht diesem Worte gegeben hat. Fordert der Individualismus die Entwicklung des Individuums um seiner selbst willen, so hält der Subjektivismus den Blick immer auf das Ganze gerichtet. Wie das Subjekt nur Wert, Bedeutung, ja Sinn hat durch seine Beziehungen zu den anderen Gliedern des Satzes, die wieder ohne das Subjekt nichts sein können, so ist dem Subjektivismus das Individuum nichts, sofern es nicht dem Ganzen dient. Das Heil des Ganzen aber liegt andererseits wieder in den einzelnen. Beide dienen, stützen und tragen einander. So beschaffen ist der Individualismus, den das Schillersche Ideal der Menge einräumt. Denn er fordert die höchste Steigerung und harmonische Entfaltung der Kräfte des einzelnen im Dienste der Idee der Fortentwicklung der Menschheit zu ihrem Ziele hin.

Dieses Ziel aber, um damit zu dem letzten Punkte zu eilen, der uns im ersten Ueberschauen Klarheit geben soll, ist, wie aus allem ohne weiteres hervorgeht, ein absolut diesseitiges. Es lehnt jeden irgendwie beschaffenen Himmel ab. Es verweist uns nicht auf eine erträumtes Jenseits, sondern stellt uns fest mit beiden Füßen auf den Boden dieser Erde. Wir sahen, wie verächtlich Schiller ein Streben nach Unsterblichkeit erschien, das nur der Begierde nach grenzenloser Dauer des Daseins und Wohlseins seinen Ursprung verdankt. Erhaben ist ihm der Gedanke der Unsterblichkeit nur als Idee, ebenso wie die Idee Gottes als höchster Gedanke der Vollkommenheit und des absoluten Seins, den der Mensch denken kann. Real aber ist ihm keins von beiden, weder die Unsterblichkeit, noch der persönliche Gott. Sein Ideal ist im tiefsten Grunde atheistisch, sobald man unter Atheismus die Leugnung eines persönlichen, die Welt regierenden Gottes versteht. Dennoch entbehrt es nicht eines gewissen transzendentalen Charakters, insofern es auf dem unerschütterlichen Glauben beruht an die geistige Natur des Menschen, an seine Zugehörigkeit zu einer intelligiblen Welt. Aber dieses Ideal ist frei von jeder metaphysischen Bedeutung. Es hat keinen metaphysischen Zweck, keinen über dieses Leben hinausweisenden, wie etwa das christlich-kirchliche, oder auch das Schopenhauersche, als welches die Verneinung des Willens zum Dasein fordert, um des All-Eine vom Leiden zu erlösen. Solcherlei Zwecke sind Schiller fremd. Diesem Leben allein gilt sein Streben und seine Lehre. Das Leben selbst und zwar das Leben der Art, das Leben der Menschheit ist der oberste Wert seiner Philosophie. Ihm zu dienen, ihm die reifste Fülle sinnlicher Wärme, gepaart mit der höchsten Kraft geistigen Strebens zu geben, die einzige Aufgabe, die wir uns selbst zu setzen haben in der kurzen Spanne des Daseins.

Wenden wir uns von hier aus zu Nietzsche, um zu sehen, wie weit er in der Aufrichtung eines neuen Zieles der Menschheit Schiller gefolgt und wie weit er über ihn hinausgeschritten ist, so bietet sich eine gewisse Schwierigkeit dadurch, daß Nietzsche schon in den ersten Jahren schöpferischer Tätigkeit, in der Zeit noch jugendlichen Sturmes und Dranges, diese Aufgabe ins Auge gefaßt und zu lösen unternommen hat, während Schiller, wie wir sahen, erst in der Epoche der Reife dazu gelangte. Hatten wir bei ihm daher nur einen fest gegründeten und scharf umrissenen klaren Gedankenkreis zur Anschauung zu bringen, so müssen wir jetzt dem, wie man fast noch allgemein annimmt, allzu gewundenen Entwicklungsgange Nietzsches folgen. Wäre diese Annahme richtig, so würde es im Hinblick auf die Architektonik dieses Buches geboten sein, sich mit der Darstellung der reifen Gedanken Nietzsches zu begnügen. Jene Annahme aber ist falsch. Die Entwicklung Nietzsches verläuft in nicht krummeren Linien, als die aller großen Menschen, ja aller Menschen, die nicht auf halbem Wege stehenbleiben. Was die Gegensätze bei ihm in so grellem Lichte erscheinen läßt, ist allein das Feuer geistiger Leidenschaft, das sie beleuchtet. In Wahrheit aber vollzieht sich in ihm nur die allgemeine Wandlung von der romantischen Gefühlsherrschaft jugendlichen Empfindens durch die einseitige Verstandesherrschaft der ersten Mannesjahre hindurch zur Vereinigung dieser Gegensätze in der Periode der reifen und vollen Männlichkeit. Die Grundrichtung aber bleibt konstant. Sie ist dieselbe am Ende wie am Anfang seiner Laufbahn. Schon hierin bietet sich von selbst die Parallele zu Schiller.

Nietzsches erste Periode von der „Geburt der Tragödie" bis „Richard Wagner in Bayreuth" entspricht der des Schillerschen enthusiastisch verschwommenen Idealismus, die zweite von „Menschliches allzu Menschliches" bis zur „Fröhlichen Wissenschaft", die Periode des sogenannten Positivismus, der Zeit der theoretischen Arbeit im Leben Schillers und dessen Zeit der Reife und vollen künstlerischen Betätigung, entspricht der dritten Periode Nietzsches, die von der Gestalt Zarathustras beherrscht wird. Und wie sich in Schiller ein all die Jahre hindurch stetig bleibendes, nur in den Formen des Ausdrucks wechselndes, im einzelnen leicht nachweisbares Streben nach Einheit erkennen läßt, so wirkt sich auch in dem Leben Nietzsches, von seinen frühesten Schriften an, dieselbe Sehnsucht aus, nämlich die, dem Leben als Ganzem einen neuen Sinn zu geben. Denn im Kerne ist die Lehre des reifen Nietzsche bereits in seinen ersten Werken enthalten, und berührt sich auf das innigste mit der Schillers.

Wir sahen, daß, wie Schiller in der Vereinigung des Naiven und Sentimentalischen, ebenso Nietzsche in der Verschmelzung des Apollinischen und Dionysischen, den Gipfel der Kunst erblickte. Hatte sich einst diese Vermählung durch einen „metaphysischen Wunderakt" in der attischen Tragödie vollzogen, so schien Nietzsche, wie gesagt, dieses Wunder zum zweiten Male getan zu sein in dem Werke Richard Wagners. Und damit schien ihm die Gewähr gegeben für die Möglichkeit einer Wiedererweckung der vorsokratischen griechischen Kultur. Denn nicht auf das ästhetische Phänomen an sich kam es ihm an, wie ja auch Wagner mehr als eine rein künstlerische Tat vollbringen wollte und vollbracht zu haben glaubte, sondern auf die Kulturmission, der das Kunstwerk zu dienen hatte. Und weil er glaubte, daß das Tondrama Richard Wagners dasselbe Kulturideal zum Ausdruck brachte und ihm die Wege ebnete, dem alle Kräfte seiner Seele zustrebten, darum verehrte und liebte er Wagner überschwenglich und stellte sich mit Enthusiasmus in den Dienst seiner Sache. Darum pries er ihn als einen der großen Gegenalexander, deren wir jetzt bedürfen, deren Aufgabe es ist, „nicht den gordischen Knoten der griechischen

Kultur zu lösen, wie es Alexander tat, so daß seine Enden nach allen Weltrichtungen hin flatterten, sondern ihn zu binden, nachdem er gelöst war". Denn Wagner „bindet und schließt zusammen, was vereinzelt schwach und lässig war", er ist ihm ein Zusammenbildner und Beseeler des Zusammengebrachten, ein Vereinfacher der Welt.

Schon aus dieser Charakterisierung Wagners können wir auf den Charakter der Kultur schließen, deren Pforten das dionysische Kunstwerk öffnen soll. Ihr Grundzug ist die innere Einheit.

In dem Musikdrama, dem der Griechen sowohl wie in dem Wagners, wachsen die beiden seelischen Neigungen des Menschen, die dem Phänomen des Apollinischen und Dionysischen zugrunde liegen, zusammen; hier „will", wie Nietzsche sagt, „alles Sichtbare der Welt zum Hörbaren sich vertiefen und verinnerlichen, und sucht seine verlorene Seele. Hier will ebenso alles Hörbare der Welt auch als Erscheinung für das Auge ans Licht hinaus und hinauf, will gleichsam Leiblichkeit gewinnen". Wie sich hier also die Welt als Vorstellung in den Gestalten des Dramas und als Wille in der Sprache der Töne, in der innigsten Wechselbeziehung und Wirkung greifbar und hörbar vor Augen und Ohren der Zuschauer in der höheren Einheit des Kunstwerkes zusammengefaßt aufbaut, so soll auch, was im Menschen schwach und vereinzelt ein kümmerliches oder einseitiges Dasein fristet, in dem Feuer dieser Kunstwelt geläutert und in eins verschmolzen, sich in Einfalt und Tiefe zu jener seelischen Kraft aufbauen, die den Menschen erstehen läßt, „der sich voll und unendlich fühlt im Erkennen und Lieben, im Schauen und Können und mit all seiner Ganzheit an und in der Natur hängt".

Diese innere Ganzheit und Einheit des Menschen einer höheren Kultur, ja der einzig wahren Kultur, die im schroffen Gegensatz steht zu der einseitig verstandesmäßigen, auf der sogenannten Bildung beruhenden Kultur der Gegenwart, findet ihren äußeren Ausdruck in der Einheit des künstlerischen Stiles. Denn so als Einheit des künstlerischen Stiles in allen Lebensäußerungen eines Volkes definiert Nietzsche in der Abhandlung über Strauß den Begriff der Kultur. Aus dieser Formulierung hat man Nietzsche unterstellt, daß seine Kultur der Zukunft einen wesentlich ästhetischen Charakter habe, wie man auch Schiller dahin mißverstanden hat, weil er, wie wir sahen, und noch des näheren sehen werden, vom Aesthetischen ausgehend es als Symbol des menschlich Vollkommenen hinstellte. Nietzsche hat sich daher selbst genötigt gesehen, seine Definition der Kultur näher zu erläutern. Er sagt in der zweiten unzeitgemäßen Betrachtung: „Diese Bezeichnung — nämlich der Kultur als der Einheit des künstlerischen Stiles in allen Lebensäußerungen eines Volkes — darf nicht dahin mißverstanden werden, als ob es sich um den Gegensatz von Barbarei und schönem Stile handele; das Volk, dem man eine Kultur zuspricht, soll nur in aller Wirklichkeit etwas lebendig Eines sein und nicht so elend in Inneres und Aeußeres, in Inhalt und Form auseinanderfallen." Das Ideal ist für Nietzsche also nicht eine äußerlich schöne, sondern eine innerlich einheitliche Kultur!

Diese aber kann nur erstehen, wenn die Menschen, die ihre Träger sind, eine innerliche Umwandlung in dieser Richtung hin erfahren haben. Daher wendet sich Nietzsche, wo er in dieser Epoche mahnend und lehrend und nicht kritisierend auftritt, an die einzelnen, ihnen immer wieder zurufend, den Weg zu suchen, den sie allein gehen können. Denn einen allgemeinen Weg gibt es nicht. „Niemand", wie er sagt, „kann dir die Brücke bauen, auf der gerade du über den Fluß des Lebens schreiten mußt, niemand außer dir allein, zwar gibt es zahllose Pfade und Brücken und Halbgötter, die dich durch den Fluß tragen wollen; aber nur um den Preis deiner selbst; du würdest dich verpfänden und verlieren. Es gibt in der Welt einen einzigen Weg, auf welchem niemand gehen kann, außer dir: wohin er führt? frage nicht, gehe ihn!" Wenn Nietzsche infolgedessen jedem empfiehlt, sich von überlieferten Vorstellungen, von öffentlichen Meinungen, die nichts seien als private Faulheiten, frei zu machen und in den tiefsten Schacht seines Inneren hinabzusteigen, um den Kern seines Wesens zu finden, und danach zu leben und zu handeln, so hat ihm nichts ferner gelegen, als damit einem schrankenlosen Individualismus das Wort zu reden. Hat man ihn dahin mißverstanden, so ist nie jemand mehr mißverstanden worden. Denn nur um sich in den Dienst eines Höheren zu stellen, soll das Individuum nach einer solchen vollen Ausbildung seiner eigenen Persönlichkeit trachten.

Dieses Höhere ist das Genie.

Jene Kultur nämlich, die das dionysische Kunstwerk vorbereiten soll, und für die jene temperamentvollen Abhandlungen stürmisch eintreten, denen Nietzsche den Namen unzeitgemäße Betrachtungen gegeben hat, erhält ihren besonderen Charakter dadurch, daß sie als den Sinn des Lebens, und damit als die ihr gestellte Aufgabe, die planmäßige Erzeugung und Züchtung des Genies erkennt. „Das Ziel der Menschheit“, sagt Nietzsche, „liegt nicht am Ende, sondern in ihren höchsten Exemplaren.“ Diese „seltensten und wertvollsten Exemplare“ hervorzubringen, sie zu fördern, ihnen die Wege zu ebnen, dahin hat alles zu wirken, die Einrichtungen des Staates ebenso, wie das Leben und Handeln der einzelnen.

Solcher Art ist der Individualismus Nietzsches. Er verdient dieser Namen darum, weil er in der höchsten Entfaltung einer geringen Anzahl hervorragender einzelner das Ziel der Menschheit sieht, nicht aber darum, weil er etwa das Glück des Individuums überhaupt als das Wesentliche ansieht. Darin ist das Christentum z. B. viel individualistischer. Denn ihm kommt es trotz seiner allgemein menschlichen Bestrebungen in der Hauptsache auf die Erlösung jedes Individuums, auf die Errettung der Seele jedes einzelnen an. Für Nietzsche ist die Menge der Individuen an sich wertlos. Sie haben nur Sinn, Zweck und Bedeutung als Fußgestell für die großen Männer. Der Individualismus Nietzsches ist also aristokratisch bis zum äußersten. Die Menge hat nur Mittel und Opfer zu sein, damit die Natur „ihre größten und wunderbarsten Absichten“ erreicht. Für sie läßt sich also diese Art zu sein bestenfalls als Subjektivismus in dem oben erörterten Sinne bezeichnen.

Wenn man trotzdem lange Zeit und in weiteren Kreisen auch heute noch Nietzsche als Verkünder eines unbeschränkten Ichkultus angesehen hat, so liegt das wohl daran, daß man die mehr in die Augen fallende negative Seite seiner Ausführungen allzu stark, ja fast ausschließlich beachtet hat. Jene Kulturkritik, die wir oben kennen gelernt haben, mit ihrem antidemokratischen Grundzuge, ihrem Haß gegen die alles nivellierende, den einzelnen verflachende und verkrüppelnde Sucht nach allgemeiner Bildung auf wissenschaftlicher Grundlage, gegen diesen alexandrinischen, gelehrtenhaften Charakter der modernen Kultur weckte die Aufmerksamkeit in erster Linie. Daß aber die Entfesselung des Individuums nicht um seiner selbst willen sich vollziehen soll, sondern um dem Genius den Weg zu ebnen, daß aus der Selbsterkenntnis und dem tiefen Ungenügen an sich die enthusiastische Liebe zum großen Manne und daraus der Entschluß erwachsen soll, ihm zu dienen, indem man sich selbst zum Höheren und Menschlicheren, das man über sich sieht, erzieht und an der Errichtung einer Kultur arbeitet, die im Gegensatz zu der herrschenden, den Genius nicht von allen Seiten umklammert und erstickt, sondern ihn zu erzeugen geeignet ist, ihm freien Raum gibt und ihn fördert, — das alles pflegte man zu übersehen. Denn die Menschen lieben es, das ihnen Unbequeme zu übersehen und haben ein außerordentliches Geschick, das ihnen Genehme aus den Dingen herauszulesen. Genehm aber ist ihnen immer eine Kritik des Bestehenden. Denn wer litte nicht irgendwie unter ihm und wenn nicht unter ihm, so an sich selbst, und fühlte sich dann nicht um so mehr erleichtert, in einem außer ihm Liegenden, den Grund und Sündenbock seines Leidens zu finden? Und genehm ist ihnen immer zu hören, daß ihre eigene Persönlichkeit allzu eingeengt sei, daß es gelte, ihr größere Freiheit zu verschaffen, daß es nicht mehr nötig sei, Altüberliefertes zu achten oder überhaupt noch Rücksichten zu nehmen. Diese Musik klingt ihnen gar lieblich in die Ohren. Unbequem aber und im höchsten Grade lästig ist es ihnen, zu erfahren, daß der einzelne nur aus dem Grunde zu größerer Freiheit und Innerlichkeit des Lebens gelangen soll, um zu etwas Ueberpersönlichem geweiht zu werden. Denn unpersönlich, überpersönlich, selbstlos in einem noch viel höheren Grade, als aus dem bisher Gesagten schon erhellt, ist das Ideal Nietzsches.

Das Genie, an dessen Erzeugung die Kultur der Zukunft arbeiten soll, wird nämlich nicht durch jeden großen Mann, etwa den großen Gelehrten, den großen Staatsmann, den großen Feldherrn oder den großen Erfinder verkörpert, sondern allein durch den Philosophen, den Künstler und den Heiligen. Und das nicht etwa darum, weil diese am meisten geeignet wären, die Menschheit auf der Bahn des Fortschritts vorwärts zu führen, sondern aus einem metaphysischen Grunde. Wäre jenes der Fall, so könnte der einzelne den Ansporn, zu der Erzeugung des Genies mitzuwirken, darin finden, daß er selbst oder wenigstens seine Nachkommen an diesem Fortschritt ihren Anteil und Vorteil hätten. Die metaphysische Bedeutung aber, auf Grund deren Nietzsche die Erzeugung des Heiligen, des Künstlers und des Philosophen als den Sinn des Lebens proklamiert, ist für Glück und Leiden des einzelnen ohne jeden Wert. Dadurch erhält dieses Ideal den völlig unpersönlichen und überpersönlichen Charakter und die für die erste Periode Nietzsches charakteristische Färbung.

Wir erinnern uns, daß für Schopenhauer der Philosoph, der Künstler und der Heilige die Spitzen der Menschheit darstellten, in der Hauptsache alle drei aus dem im innersten gleichen Grunde: der Philosoph, weil in ihm der Wille zur vollen Erkenntnis seines Zustandes gelangt, der Künstler, weil er durch sein Werk die Menschen auf kurze Zeit vom Willen zum Dasein befreit, indem er sie zur begierdelosen Betrachtung zwingt, und der Heilige, weil in ihm sich die Verneinung des Willens zum Dasein sichtbar vollzogen hat. Alle drei also dienen demselben metaphysischen Zwecke, der Erlösung des Ureinen von der Qual der Individuation, indem sie durch Erweckung der philosophischen Einsicht, durch die Werke der Kunst und durch das praktische Beispiel die Menschheit zur Verneinung des Willens zum Dasein locken und verführen.

Wollte man nun annehmen, und das liegt nahe genug, daß Nietzsche in demselben Schopenhauerschen Sinne diese drei Typen als die metaphysisch bedeutsamen aufgefaßt und hingestellt habe, so würde man durchaus in die Irre gehen. Unzweifelhaft und unverkennbar ist der Einfluß Schopenhauers hier allerdings. Aber schon in dieser Periode ist Nietzsche über Schopenhauer hinausgewachsen, oder besser, in einen inneren, unlösbaren Konflikt zu ihm geraten.

Dieser Konflikt liegt schon in der ersten Schrift Nietzsches, in der Geburt der Tragödie, unverhüllt vor den Augen aller. Wir erinnern uns jener befremdenden Auffassung, daß die Welt des Scheines, das heißt die Welt der empirischen Realität und in noch höherem Grade die Welt der Kunst als Schein des Scheines zur Erlösung dienen soll des leidenden

Gottes. Darum müssen die Griechen, um sich selbst als verherrlichenswert zu empfinden, sich in einer höheren Sphäre, der der olympischen Götter, wiederfinden. Denn „in den Griechen wollte der Wille sich selbst in der Verklärung des Genius und der Kunstwelt anschauen". Darum hat das Dasein der Individuen nur dadurch wahren Wert, daß sie Bilder und Kunstwerke sind, und ist das Leben nur als ästhetisches Phänomen ewig gerechtfertigt.

Es leuchtet ohne weiteres ein, daß dieser Künstlergott, wie ihn Nietzsche später bezeichnet hat, „der im Bauen wie im Zerstören, im Guten wie im Schlimmen seiner gleichen Lust und Selbstherrlichkeit inne werden will, der sich Welten schaffend von der Not der Fülle und Ueberfülle, vom Leiden der in ihm gedrängten Gegensätze löst", mit dem Urwesen Schopenhauers, Wille genannt, nichts mehr gemein hat. Von allem anderen abgesehen: dieser Gott bedarf zu seiner Erlösung nicht seiner eigenen Vernichtung und Verneinung. Die Welt selbst stellt vielmehr die in jedem Augenblick erreichte Erlösung des Gottes dar, um so reiner und vollkommener, je schöner, mächtiger und tiefer sie sich selbst entfaltet. Das Dasein, an sich für den einzelnen fragwürdig und leidvoll, erhält dadurch den höchsten denkbaren Zweck: als Mittel zu dienen zur Erlösung des Ureinen. Sein Sinn liegt nunmehr nicht in der Verneinung, sondern in der kraftvollsten Bejahung. Kunst und Philosophie erscheinen nunmehr nicht als die Lockmittel zur Verneinung des Lebens, sondern als die stärksten Stimulantia zum Leben.

Am klarsten kommt das in den Schriften der ersten Epoche zum Ausdruck, soweit es die

Kunst angeht. Die apollinische Kunst erhält den einzelnen im Banne der Individuation und damit im Leben, die dionysische läßt ihn zwar tiefer in den Abgrund des Daseins blicken, zeigt ihm aber sein eigenes Leid als einen Teil des allgemeinen, läßt ihn die ewige unzerstörbare Macht und Herrlichkeit des Lebens ahnen und hebt ihn so, in dem überirdisch lustvollen Verschmelzen des Einzelwillens mit dem allgemeinen, über alles persönliche Ungemach empor, so daß er getröstet nicht nur, sondern gewappnet gegen jeden Schmerz, der ihn treffen könnte, in heroischer Gesinnung von neuem das Leben auf sich nimmt.

Der Philosoph aber dient dem Leben, indem er seinen Sinn erkennend, nach ihm „Gewicht, Maß und Münze der Dinge" festsetzt, denn so als den, der neue Werte schafft, nicht aber als den Bauer neuer Weltanschauungssysteme, faßt Nietzsche schon in dieser Zeit den Philosophen. Indem er den Sinn des Lebens darin erkennt, die höchsten und seltensten Exemplare hervorzubringen und zu züchten, bemißt, bewertet und beurteilt er danach alle Erscheinungen. Er bejaht sie, soweit sie diesem Zwecke dienen, er verneint sie, soweit sie geeignet sind, schwächend oder gar zerstörend zu wirken, das Mittelmaß, den Durchschnittstypus zu züchten, oder ja die Sehnsucht nach dem Nichts, hin zum „großen Sabbat der Sabbate" zu stärken und zu verbreiten. Wie die Aufgabe der Kunst, so hat sich also auch die der Philosophie gerade in das Gegenteil derjenigen verkehrt, die ihr nach Schopenhauer zufiel.

Und sogar der Heilige, oder besser seine

Art zu sein, „das relative Nirwana", wird in den nachgelassenen Schriften gelegentlich als „eine der zartesten Daseinsformen des Willens" gedeutet. In den von Nietzsche selbst veröffentlichten Werken der ersten Epoche aber erscheint der Heilige eher nach dem Ausdrucke eines Nietzsche-Schriftstellers als ein von Schopenhauer übernommenes Anhängsel, das Nietzsche noch mit sich schleppt, ohne sich zu dem trennenden Schnitt entschließen zu können. Indessen läßt sich nicht verkennen, daß der Heilige auch in dem damaligen Anschauungskreise Nietzsches nicht ohne Berechtigung seinen Platz behauptet. Denn er läßt sich zweifellos als eine der höchsten Formen menschlichen Geisteslebens auffassen. Erhebt er sich doch, dem Anscheine nach am höchsten über den halb tierischen Zustand, in dem die meisten ihr Leben hinbringen. „Solange der Mensch noch nach dem Leben wie nach einem Glücke verlangt," sagt Nietzsche, „hat er den Blick noch nicht über den Horizont des Tieres erhoben." Hoch über dieser Stufe steht jedenfalls der Heilige. Er gestaltet sein Leben nach einer Idee. Eben das verlangt Nietzsche von den Menschen. Und so kann wohl der Gott, jener Künstlergott, auch im Heiligen als der seltensten und sonderbarsten Blüte des Daseins seine Erlösung finden.

Das Ziel also, das Nietzsche der Menschheit setzt, an der Erzeugung nämlich des Philosophen, des Künstlers und des Heiligen zu arbeiten, hat einen metaphysischen Untergrund: der Künstlergott erreicht durch sie am ehesten seine Erlösung. In dieser metaphysischen Rechtfertigung seines Ideals enthüllt sich uns der romantisch-idealistische Zug des jugendlichen Denkens Nietzsches mit aller Schärfe. Zugleich aber können wir bereits das Ziel ahnen, dem auch in dieser Zeit schon sein Streben halb unbewußt zudrängt.

Denn wir erkennen, daß die tiefsten Kräfte seines Wesens dahin streben, dem Leben einen solchen Sinn zu geben, daß alle Kräfte und vor allem die höchsten und seltensten in ihm zur vollsten Entfaltung gelangen. Er nähert sich also hier bereits der Schillerschen Auffassung, im Leben selbst, in der höchsten Steigerung aller im Menschen ruhenden Kräfte und Anlagen, den Sinn des Lebens zu sehen. Und so ist sein Ideal individualistisch und schließlich aus demselben Grunde wie das Schillers aristokratisch, weil nämlich von der Menge niemals das Größte erwartet werden kann. Alles Hervorragende ist selten. Aber noch bleibt er umfangen von phantastischen, metaphysischen Vorstellungen, die ihn letzten Endes doch den Zweck des Lebens außerhalb des Lebens suchen lassen.

Aber schon hat er begonnen, sich innerlich frei zu machen. Zu der Zeit, als er scheinbar ein unbedingter Schüler Schopenhauers am entschiedensten für ihn auf den Plan trat, war ihm der Wahrheitsgehalt der Schopenhauerschen Philosophie längst zweifelhaft geworden. Wenn er trotzdem an ihr festhielt, so lag das daran, daß er ihr einen hohen erziehlichen Wert zuschrieb. Zu Wahrheit, Unerschrockenheit, Ernst und Tiefe, zu heroischer Lebensauffassung schien sie und das Bild ihres Urhebers ihm wie nichts anderes die Menschen zu erziehen geeignet. Es ging ihm hier, wie es wohl manchem Gläubigen gehen mag, der irgendwie in die Netze des Zweifels verstrickt und zum Unglauben geführt, doch sich von der Kirche nicht trennt, weil er den sittlichen Gehalt ihrer Lehre, ihre nach seiner Ansicht lebenfördernden Werte nicht aufgeben will. Das Problem: kann Unwahrheit nützlicher sein als Wahrheit, trat damit vor Nietzsche hin. Diese Frage drängte sich ihm auf. Sie liegt ja auch schon eingeschlossen in der Anzweiflung des unbedingten Nutzens der Wissenschaft. Man kann die erste Epoche Nietzsches recht eigentlich als die bezeichnen, in der die Neigung, die Wahrheit zugunsten des Lebens zurückzusetzen, ihn beherrschte. Indessen ist kaum ein Moment nachzuweisen, in dem das unbedingt der Fall gewesen wäre. Ebenso stark wie der Drang, dem Leben als Ganzem einen solchen Sinn zu geben, daß das Kräftige, Gewaltige und Seltene, die höchsten Formen des Daseins als Ziel und Krone des Lebens erscheinen, lebte in ihm die unbedingte Sehnsucht nach Wahrheit. Ihr mußte er schließlich stattgeben. Aber da er bis zum letzten Augenblick für Schopenhauer und Wagner eintrat, mußte der Bruch mit ihrer Weltanschauung, der nun erfolgte, schroff, jäh und unvermittelt erscheinen für jeden, der nicht zwischen den Zeilen zu lesen verstand. In Wahrheit aber vollzog sich nur, was lange vorbereitet sich endlich vollziehen mußte. Der ganze romantische Nebel, der über den Dingen in dieser Schopenhauer-Wagnerschen Weltauffassung lag, und der ihn selbst umfing, begann ihn zu drücken. Er mußte suchen, ihn zu zerreißen. Wie konnte er auch schließlich dauernd mit den Formeln einer Philosophie und Kunst weiter zu wirken denken, deren Nein sein Ja, deren Ja sein Nein war?

So verließ er denn die Bahn, in der er bisher als Jünger fremder Größe gewandert war, um seinen eigenen Weg zu suchen. Die Zeit jugendlich enthusiastischer Schwärmerei war vorüber. Es begann die kältere Epoche zur Männlichkeit herangereiften Denkens. Wie Schiller erkannte er, daß es galt, erst in die Tiefen der Erkenntnis hinabzusteigen, ehe er daran gehen konnte, die Aufgabe, die er vom Schicksal sich auferlegt fühlte, zu lösen. Und wie Schiller jede neue Erkenntnis in ein neues Werk umsetzte, ja im Lehren und Schaffen selbst erst lernend sich allmählich zur Klarheit durchrang, so entwickelte sich auch Nietzsche produzierend. Die Werke der nächsten Zeit bezeichnen die Etappen des Weges, den er zurückgelegt hat. Die Art ihrer Entstehung gibt ihnen, wie übrigens auch denen Schillers, ihren besonderen Charakter. Da der Verfasser selbst noch ein Werdender ist, ist ihr Gedankeninhalt nirgends abgeschlossen. Er bekommt daher leicht etwas Schillerndes, Unbestimmtes, sich selbst Widersprechendes. Er wird völlig klar nur für den, der durch die Hülle hindurchblickend den gleichsam unterirdisch fließenden, einem bestimmten Ziele zueilenden Strom erblickt. Seinen Windungen und Krümmungen zu folgen, ist uns hier nicht möglich. Es kann sich nur darum handeln, das Hauptresultat dieser sogenannten positivistischen Epoche Nietzsches herauszustellen. Folgende Schriften gehören ihr an: „Menschliches, Allzumenschliches, ein Buch für freie Geister", zwei Bände. Der zweite Band aus den „Vermischten Meinungen und Sprüchen" (1879) und dem „Wanderer und sein Schatten" (1880), erst später (1886) zusammengestellt. „Morgenröte, Gedanken über die moralischen Vorurteile" (1881), und „die fröhliche Wissenschaft" (1882).

Wollte man das Thema dieser Bücher, die wie bekannt Aphorismen-Sammlungen sind, in ein paar Worte zusammenfassen, so könnte man sagen: Es gibt keine an sich seienden, ewig gültigen, allgemein bindenden Werte, weder auf dem Gebiete der Philosophie, noch auf dem der allgemeinen Kultur, noch auf dem der Religion und vor allem dem der Moral.

Machen wir uns klar, in welchen entscheidenden Gegensatz Nietzsche damit zu seiner früheren Gedankenwelt getreten ist. So hart und fest, wie nur je einer, war er in das Netz der Metaphysik verstrickt gewesen. Jetzt aber kommt es ihm gerade darauf an, den halb mystischen, überirdischen, jenseitigen, metaphysischen Charakter, den alle Werturteile, alle Aussagen über das Wesen der Dinge mit der Zeit angenommen haben, zu zerstören, ihn als falsch, als geworden nachzuweisen. Begreifen wir aber wohl, es handelt sich nicht darum, zu zeigen, daß es überhaupt keine allgemein gültigen Werte gibt, daß solche nirgends zu entdecken wären, sondern darum, zu zeigen, daß die bestehenden ihren Anspruch ewig und absolut, irgendwie in einer über diese Erde hinausweisenden Welt begründet zu sein, durchaus zu Unrecht erheben. Insofern sie diesen Anspruch erheben, nennt sie Nietzsche moralisch. Das ist auch der Sinn, in dem man gemeinhin dieses Wort gebraucht, so wenn z. B. Chamberlain von den Indern behauptet, daß die moralische Bedeutung der Welt für sie die Grundvoraussetzung alles Denkens ist. Eben diesen metaphysischen Sinn alles Moralischen lehnt Nietzsche ab und nennt sich deswegen den ersten Immoralisten. Damit wendet er sich im Grunde nicht gegen Moralbegriffe, sofern sie aus der historischen Entwicklung eines Volkes entstanden sind, wenn sie nur als solche erkannt werden, sondern wie gesagt gegen die Annahme, besser gegen den allgemeinen Glauben, daß sie jenseitigen Ursprungs Ewigkeitswert haben.

Indem nun aber Nietzsche die einzelnen Begriffe psychologisch zergliedert und ihren Ursprung aufzudecken sucht, im ganzen nicht zum besten der Sache unsystematisch und erst allmählich zur vollen Unabhängigkeit von fremden Einflüssen gelangend, kommt er naturgemäß zunächst zu einem extremen Negativismus. Es gibt Momente, in denen er scheinbar die Berechtigung eines völligen sittlichen Anarchismus vertritt, das heißt einer Auffassung der Welt, die darauf verzichtet, irgendwie allgemein bindende Vorstellungen anzuerkennen, und alles Handeln in das Belieben des einzelnen stellt. Gerade darin hat man das Nietzsche besonders Eigentümliche erblickt und ihn damit zum Vertreter des denkbar extremsten, ja, wie gesagt, anarchischen Individualismus gestempelt. Selbst das beste Buch, das über ihn erschienen ist, das von Raoul Richter, vertritt diese Ansicht mit allem Nachdruck. Als die Grundlage der reifen Philosophie Nietzsches stellt Richter immer wieder den Satz hin: „Es gibt keine Werte an sich (objektiv allgemein gültige), auch keine Werte für alle, das heißt Ziele, die der Wille aller erstrebte (subjektiv allgemein gültige), sondern nur Werte für dich und für mich (subjektiv individuell gültige)", und konstruiert Nietzsche daraus einen Widerspruch zu seiner späteren Metaphysik.

Damit verkennt man aber den Charakter dieser Anschauung Nietzsches als einer vorübergehenden, als

6*

einer Zwischen- und Vorstufe, als des äußersten Ausdruckes positivistischen Strebens. Erinnern wir uns, mit welcher Leidenschaft er die Schopenhauersche Philosophie in sich aufgenommen hatte und mit welcher gleich großen Leidenschaft er eben diese Philosophie im Innersten in ihr Gegenteil verkehrte und verkündete, so erkennen wir unschwer, worauf auch oben schon hingewiesen wurde, wohin alles Sehnen seiner Seele drängte. Dahin: ein der herrschenden Moral mit ihrer über dieses Leben hinausweisenden Tendenz feindliches, dem Diesseits zugewandtes, und doch allgemein bindendes, sicher begründetes Ideal aufzustellen. Wie hätte er mit diesem Drang im Herzen sich damit begnügen können, alles was ist als geworden, als ohne absoluten Wert, als unbegründbar hinzustellen. Aus der Erkenntnis, daß die herrschenden Werte diesen Charakter haben, folgt vielmehr für ihn unmittelbar die Aufforderung, solche zu finden, die begründbar sind, oder da ihre Art schon in der ersten Periode seines Denkens für ihn feststeht, die allgemein verpflichtende Begründung für sie aufzudecken.

Daß dieser Trieb in Nietzsche niemals geschlummert hat, das beweist uns der Umstand, daß er zu der Zeit, in der er sich am tiefsten in die kalte Zone kritisch sichtender, zerlegender Verstandestätigkeit versenkt hatte, in der er alle enthusiastischen Triebe seiner Natur am härtesten im Zaume hielt, eben aus dieser Tätigkeit selbst sich ein Ideal zimmert. „Das Leben ein Mittel der Erkenntnis," ruft er aus, „mit diesem Grundsatz im Herzen kann man nicht nur tapfer, sondern sogar fröhlich leben und fröhlich lachen."

Hätte er diesen Drang zur Position, zur Setzung eines positiven Ideals nicht besessen, so hätte er leicht dahin gelangen können, sich der starken Strömung, die ihn von jeder metaphysischen Ausdeutung des Daseins wegtrieb, widerstandlos zu überlassen und in ihr unterzugehen. So aber kämpfte er sich allmählich wieder an die Oberfläche empor. Was indessen nicht dahin mißverstanden werden darf, daß er die über die Natur der herrschenden moralischen Werte gewonnene Einsicht aufgab. Daß sie nicht das sind, was sie zu sein vorgeben und beanspruchen, nämlich absolut, ewig und an sich seiend und daher allgemein bindend, das bleibt die Grundlage seiner Philosophie. Diese Moral lehnt er ab, und ihre Haltlosigkeit nachzuweisen, ist zum Teil auch noch die Aufgabe späterer Schriften. Und so bleibt er der erste Immoralist, als der er sich, wie gesagt, selbst bezeichnet. Seine Philosophie ist „moralinfrei", Moral dabei immer genommen im Sinne der christlich-überweltlichen Moral.

Aber er bleibt nicht in der bloßen Verneinung stecken, sondern erhebt sich nun in der letzten Periode der Reife dazu, das Ziel der Menschheit neu aufzurichten und eine ihm entsprechende neue Moral wenigstens in den Hauptzügen zu entwerfen und zu begründen.

Hier kommt es uns zunächst darauf an, den Charakter dieses neuen Zieles der Menschheit zu erkennen und festzustellen, wie weit das Ziel, das, wie wir sahen, Schiller den Menschen gab, mit ihm identisch ist.

Nietzsche hat für dieses Ziel ein Wort, das jetzt in aller Munde ist, allerdings nicht neu geprägt, aber mit einem so neuen Inhalt erfüllt, daß er es als sein geistiges Eigentum in Anspruch nehmen darf. Es ist der Uebermensch. Als seinen Verkünder läßt Nietzsche Zarathustra, eine Umkehrung des alten persischen Religionsstifters in sein Gegenteil, in „Also sprach Zarathustra" auftreten. Es ist das eigentliche Hauptwerk Nietzsches. Alle späteren Schriften, von denen besonders „Jenseits von Gut und Böse" und „Zur Genealogie der Moral" zu erwähnen wären, sind im großen und ganzen nur Ausführungen der Gedanken Zarathustras. Hier haben wir daher den Höhepunkt und Abschluß der Philosophie Nietzsches zu suchen. Und da es die Absicht Nietzsches war, getreu seiner Auffassung des Philosophen als des Gesetzgebers der sittlichen Welt, als dessen, der neue Werte schafft, eine nicht nur in die Tiefe, sondern auch in die Breite gehende Wirkung auszuüben, die Menschen im Innersten umschaffend, indem er ihrem Willen eine neue Richtung gab, neue Sehnsüchte in ihnen erweckte, so wählte er mit genialem Griff die uralte Form prophetischer Darstellung für die Vermittlung seiner Erkenntnisse und des aus ihnen erwachsenden Strebens. Die Gefühlserregung, die jede umstürzlerische neue Erkenntnis bei jedermann zu begleiten pflegt, abgesehen von denen, welchen das Geistige nur eine Art Sport ist, der mit dem Leben sonst nichts zu tun hat, wird durch diese Form nicht nur erhöht, sondern zu seiner höchsten Potenz gesteigert.

Und so führt uns denn Nietzsche seinen erdichteten Weisen, Propheten und neuen Religionsstifter lehrend und predigend vor, aus der Einsamkeit auf den Markt tretend, Jünger findend und von neuem in die Einsamkeit zurückkehrend, bis ihn die Nachricht, daß seine Lehre in Gefahr sei, entstellt zu werden, von neuem in die Welt ruft. Wieder zurückgekehrt, erlebt er die dunkelste Stunde, die ihn in die letzten Tiefen des Erkennens hinabsteigen läßt. Als er überwunden hat, sieghaft und völlig eins mit sich, ist die Zeit erfüllt, die Welt ist reif für seine Lehre, seine Kinder erwarten ihn, und so steigt er zum letzten Male von den Bergen hinab in das Tal.

Zarathustras Lehre aber ist, wie gesagt, die vom Uebermenschen: „Ich lehre euch den Uebermenschen", heißt es in der ersten Rede Zarathustras. „Der Mensch ist etwas, das überwunden werden soll. Was habt ihr getan, ihn zu überwinden?

Alle Wesen bisher schufen etwas über sich hinaus: und ihr wollt die Ebbe dieser großen Flut sein und lieber noch zum Tiere zurückgehen, als den Menschen überwinden?

Was ist der Affe für den Menschen? Ein Gelächter oder eine schmerzliche Scham. Und eben das soll der Mensch für den Uebermenschen sein: ein Gelächter oder eine schmerzliche Scham.

Ihr habt den Weg vom Wurme zum Menschen gemacht, und vieles ist in euch noch Wurm. Einst wart ihr Affen, und auch jetzt noch ist der Mensch mehr Affe als irgendein Affe.

Wer aber der Weiseste von euch ist, der ist auch nur ein Zwiespalt und Zwitter von Pflanze und Gespenst. Aber heiße ich euch zu Gespenstern oder Pflanzen werden?

Seht, ich lehre euch den Uebermenschen!

Der Uebermensch ist der Sinn der Erde. Euer Wille sage: der Uebermensch sei der Sinn der Erde."

Hier also wird die Erhöhung der Menschenart zur Ueberart als das Ziel der Menschheit verkündet, und zwar als ein in dem Gange der Entwicklung selbst liegendes, als durch die Natur der Dinge selbst gegebenes. Wie ersichtlich, nimmt Nietzsche dabei die Entwicklungslehre Darwins zur Grundlage. Die eindringende Betrachtung, sagt er damit, lehrt uns, daß eine vom Niederen zum Höheren aufsteigende Entwicklung stattgefunden hat. Hierin haben wir also offenbar den Sinn alles Lebens zu sehen. Es kommt darauf an, daß wir ihm gemäß auch handeln, daß wir ihn in unseren Willen aufnehmen, daß wir bewußt an der Höherentwicklung der Menschheit arbeiten. Darum sagt er: „Der Uebermensch ist der Sinn der Erde. Euer Wille sage: der Uebermensch sei der Sinn der Erde.“ Wollte man ein Bild gebrauchen, so könnte man sagen: der Mensch soll nicht gegen, sondern mit dem Strome des Geschehens schwimmen, die Strömung ausnutzend und auch selbst vorwärts arbeitend und dadurch schneller zum Ziel kommend, als wenn er sich nur von ihr tragen ließe. Das Ziel, dem er zusteuern soll, aber ist, wie wir sehen, ein absolut diesseitiges. Die Steigerung des Typus Mensch zu einer Ueberart in diesem Leben ist die Aufgabe.

Man hat daher das Leben als den obersten Wert der Philosophie Nietzsches bezeichnet und darzulegen gesucht, daß die Ansetzung dieses obersten Wertes nach Nietzsches Auffassung eine völlig willkürliche sei, gestellt in das Belieben jedes einzelnen.

Nun ist es aber für jeden, der tiefer darüber nachdenkt, völlig unzweifelhaft, daß das Leben überhaupt, im weitesten Sinne gefaßt, der oberste Wert jeder Philosophie und Religion ist. Das Leben wird dabei nur nicht auf das Diesseits beschränkt, sondern als über den Tod hinaus dauernd gedacht. Und da dann das jenseitige Leben, das ewig währt, gegenüber der Kürze des diesseitigen, als das unendlich wichtigere angesehen werden muß, wird auf jenes der Hauptton gelegt. Und auch in den Weltanschauungen, in denen, wie etwa in der altindischen und der Schopenhauerschen Philosophie, das auf schwierigem und gewundenem Wege zu erreichende Ziel in dem endgültigen Tode, im Erlöschen im Nichts gefunden wird, ist die aufs höchste gesteigerte Sehnsucht nach dem Leben die eigentliche Triebfeder. Alle denkbaren Formen des Lebens genügen dieser Sehnsucht nicht, und so sieht sie im völligen Erlöschen das Glück. Der oberste Wert also auch dieser Philosophie ist das Leben, aber da er unrealisierbar ist in der Form, in der er ersehnt wird, tritt an seine Stelle das Nichts, das demnach erst in zweiter Linie steht. Nietzsche hat daher völlig recht, wenn er, wie wir sahen, im Heiligen die zarteste Form des Willens zum Dasein fand, wie er denn dementsprechend später, worauf noch zurückzukommen, in allen das Diesseits verneinenden Philosophieen und Religionen nur einen Spezialfall des Willens zur Macht sah.

Daß also das Leben im weitesten Sinne als der oberste Wert angesetzt wird, liegt in der Natur der Menschen, ist das, was sich von selbst versteht. Das Unterscheidende ist die Beschränkung auf das Diesseits, auf das Leben auf dieser Erde. Dieses allein wird als das erklärt, dem alle Kräfte zu widmen sind. Und das geschieht nicht willkürlich, sondern vielmehr auf Grund der Einsicht, daß wir von einem jenseitigen Leben nichts wissen. Daß alles, was darüber zu wissen man vorgibt, nichts ist als Selbstbetrug, nur erwachsen aus irgendwelchen unendlich mannigfaltigen, allmählich in Vergessenheit geratenen Vorgängen, aber nichts Geoffenbartes, nichts Absolutes, nichts ewig Gültiges, das nachzuweisen müht sich Nietzsche ja, wie wir sahen, in den Prosaschriften vor und nach Zarathustra unermüdlich ab.

Diese Beschränkung auf das Diesseits aber fordert den unbedingten Verzicht auf alle Art von Wünschbarkeiten, auf eine Idealwelt. Es gilt, sich mit dieser Erde abzufinden, ihren Sinn zu erkennen und nach ihm zu leben. Das ist der erste, wichtigste, ja entscheidende Charakterzug im Bilde des Nietzeschen Ideals. Den Blick der Menschen von einem erdichteten Jenseits abzuziehen, nach dem sie wie gebannt seit Jahrtausenden starren, ist der innerste Kern seines Strebens. Und eben hierin berührt er sich in erster Linie mit Schiller. Denn auch das Ziel, das Schiller der Menschheit setzt, ist, wie wir sahen, ein absolut diesseitiges. Inwiefern Schiller sich hier noch von Nietzsche unterscheidet, wird im letzten Kapitel zu erörtern sein. An sich betrachtet aber, beschränkt uns Schillers Ideal ebenso unbedingt und energisch auf das Leben auf dieser Erde wie das Nietzsches. Und ebenso sieht er, wie oben dargelegt, in der Erhöhung des Typus Mensch zu einer seiner Idee entsprechenden Form das Ziel.

Ist diese Uebereinstimmung schon von der größten Bedeutung, so würde es noch wichtiger sein, wenn sich feststellen ließe, daß Nietzsches Uebermensch in den Hauptzügen mit dem Idealmenschen Schillers übereinstimmt.

Schillers Ideal besteht, wie wir sahen, in der Vereinigung der beiden Seiten der menschlichen Natur, der empfangenden und der selbsttätigen. Er unterscheidet, wie dargelegt, drei Stufen der Entwicklung: auf der ersten ist der Mensch noch rohe, ungebändigte Natur, auf der zweiten herrscht die Vernunft, die Moral als absolute Größe, auf der dritten ist der Mensch von jeder Herrschaft frei, Sittlichkeit und Sinnlichkeit sind auf dem Wege einer langen Erziehung und Gewöhnung in ihm eins geworden. In diesem „ästhetischen Reiche" ist der Mensch also zu einem Zustande gelangt, der als übermenschlich bezeichnet werden kann, insofern der Mensch, von dem wir durch Erfahrung wissen, in ihm überwunden ist. Denn das Wesen dieses Menschen beruht recht eigentlich auf dem Antagonismus seiner sinnlichen und geistigen Kräfte, wie denn auch Nietzsche sagt: auch der Weiseste unter euch ist nur ein Zwitter zwischen Pflanze und Gespenst, das heißt, ein Gemenge, um uns chemisch auszudrücken, von animalischen und geistigen Eigenschaften. Diese Ueberwindung des Menschen aber schließt, wenn wir genauer hinsehen, die Ueberwindung der Moral als einer absoluten Größe in sich. Der Mensch des ästhetischen Reiches steht jenseits von Gut und Böse. Denn diese Gegensätze gibt es für ihn nicht mehr.

Schiller hat an einer Stelle der ästhetischen Briefe ein so klares Bild seines Ideals entworfen, daß wir uns nicht enthalten können, es hier wiederzugeben. Am Schlusse des 15. Briefes der „Briefe über die ästhetische Erziehung" führt er aus, wie tief und richtig die Kunst der Griechen schon die Form des idealen Menschen empfunden habe, „nur daß sie in den Olympus versetzten, was auf der Erde sollte ausgeführt werden". „Sie ließen sowohl den Ernst und die Arbeit, welche die Wangen der Sterblichen furchen, als die nichtige Lust, die das leere Angesicht glättet, aus der Stirne der seligen Götter verschwinden, gaben die ewig zufriedenen von den Fesseln jedes Zweckes, jeder Pflicht, jeder Sorge frei und machten den Müßiggang und die Gleichgültigkeit zum beneideten Lose des Götterstandes: ein bloß menschlicherer Name für das freieste und erhabenste Sein. Sowohl der materielle Zwang der Naturgesetze, als der geistige Zwang der Sittengesetze verlor sich in einem höheren Begriff von Notwendigkeit, der beide Welten zugleich umfaßte, und aus der Einheit jener beiden Notwendigkeiten ging ihnen erst die wahre Freiheit hervor. Beseelt von diesem Geiste löschten sie aus den Gesichtszügen ihres Ideals zugleich mit der Neigung auch alle Spuren des Willens aus, oder besser, sie machten beide unkenntlich, weil sie beide in dem innigsten Bunde zu verknüpfen wußten. Es ist weder Anmut, noch ist es Würde, was aus dem herrlichen Antlitz einer Juno Ludovisi zu uns spricht; es ist keins von beiden, weil es beides zugleich ist."

Damit aber zeichnet Schiller das Bild des Uebermenschen in seinen wesentlichen Zügen.

Faßt man den Uebermenschen als eine Ueberart im Darwinistischen Sinne auf, wie man ihn zunächst unzweifelhaft auffassen muß, so wird sich über seine Eigenschaften der Natur der Sache nach wenig aussagen lassen. Es ist ein Ideal, das in seinen einzelnen Zügen verschwimmt, im ganzen aber leichter erfaßt wird und kräftiger wirkt, als ein in allen

Einzelheiten ausgearbeitetes. Es ist berechnet auf die Psyche der Menge, auf die große und einfache Ideen den tiefsten Eindruck machen. Mit Recht weist Elisabeth Foerster-Nietzsche darauf hin, daß diese ersten Reden Zarathustras auf dem Markte gehalten werden, daß wir daher in dem Uebermenschen als einer Ueberart in naturwissenschaftlichem Sinne mehr ein Gleichnis zu sehen haben. Nietzsche selbst bezeichnet gelegentlich den Uebermenschen als sein Gleichnis und sagt im Anti-Christ: „Nicht was die Menschen ablösen soll in der Reihenfolge der Wesen, ist das Problem, das ich hiermit stelle — der Mensch ist ein Ende — sondern welchen Typus Mensch man züchten soll, wollen soll, als den höherwertigeren, lebenswürdigeren, zukunftsgewisseren." Es handelt sich also nicht sowohl um eine physisch neue Art, als vielmehr um eine innerlich andere, einen neuen Typus Mensch, wie Nietzsche sagt, und zwar einen Typus, durch den das Phänomen Mensch, von dem man bisher weiß, überwunden ist.

Die Eigenschaften dieser höheren Art Mensch lassen sich nun vielleicht eher feststellen, als die der im blassen Nebel der Zukunft verschwindenden Gestalt des Uebermenschen im Darwinistischen Sinne. Nietzsche hat im Zarathustra selbst kein klares und abgerundetes Bild dieses höheren Typus entworfen. Wir können aber aus der Gestalt Zarathustras und aus einzelnen Stellen, sowie schließlich aus seiner Gesamtauffassung der Welt die wesentlichsten Züge erkennen.

Da finden wir in den nachgelassenen Schriften, in den Aufzeichnungen zu dem geplanten, aber nicht vollendeten Hauptwerke: „Der Wille zur Macht", diese Sätze: „Zu den höchsten und erlauchtesten Menschenfreuden, in denen das Dasein seine eigene Verklärung feiert, kommen wie billig nur die Allerseltensten und Bestgeratenen: und auch diese nur, nachdem sie selber und ihre Vorfahren ein langes vorbereitendes Leben auf dieses Ziel hin und nicht einmal im Wissen um dieses Ziel gelebt haben. Dann wohnt ein überströmender Reichtum vielfältigster Kräfte und zugleich die behendeste Macht eines freien Wollens und herrschaftlichen Verfügens in einem Menschen liebreich beieinander; der Geist ist dann ebenso in den Sinnen heimisch und zu Hause, wie die Sinne in dem Geiste heimisch und zu Hause sind; und alles, was nur in diesem sich abspielt, muß auch in jenen ein feines und außerordentliches Glück und Spiel auslösen. Und ebenfalls umgekehrt! — Man denke über diese Umkehrung bei Gelegenheit von Hafis nach; selbst Goethe, wie sehr auch schon im abgeschwächten Bilde, gibt von diesem Vorgange eine Ahnung. Es ist wahrscheinlich, daß bei solchen vollkommenen und wohlgeratenen Menschen zuletzt die allersinnlichsten Verrichtungen von einem Gleichnisrausche der höchsten Geistigkeit verklärt werden; sie empfinden an sich eine Art Vergöttlichung des Leibes."

Es ist kein Zweifel, daß wir in dieser Schilderung höchsten Menschentums das Bild des Uebermenschen zu erblicken haben. Nehmen wir hinzu, was Nietzsche im Ecce homo, der nachgelassenen, noch nicht edierten Selbstbiographie, von der Gestalt Zarathustras sagt: „Hier ist in jedem Augenblicke der Mensch überwunden, der Begriff Uebermensch wird hier höchste Realität — in einer unendlichen Ferne liegt das, was bisher groß am Menschen hieß, unter ihm. Das Halkyonische, die leichten Füße, die Allgegenwart von Bosheit und Uebermut und, was sonst alles typisch ist für den Typus Zarathustra, ist nie geträumt worden als wesentlich zur Größe. Zarathustra fühlt sich gerade in diesem Umfang an Raum, in dieser Zugänglichkeit zum Entgegengesetzten als die höchste Art alles Seienden; und wenn man hört, wie er diese definiert, so wird man darauf verzichten, nach seinem Gleichnis zu suchen.

„— die Seele, welche die längste Leiter hat und am tiefsten hinunter kann, die umfänglichste Seele, welche am weitesten in sich laufen und irren und schweifen kann,

die notwendigste, welche sich mit Lust in den Zufall stürzt,

die seiende Seele, welche ins Werden, — die habende, welche ins Wollen und Verlangen will —,

die sich selber fliehende, welche sich selber in weitesten Kreisen einholt, die weiseste Seele, welcher die Narrheit am süßesten zuredet,

die sich selber liebendste, in der alle Dinge ihr Strömen und Widerströmen und Ebbe und Flut haben —."

Und: „hier redet kein Prophet, keiner jener schauerlichen Zwitter von Krankheit und Willen zur Macht, die man Religionsstifter nennt". „Man muß vor allem den Ton, der aus diesem Munde kommt, diesen halkyonischen Ton richtig hören, um dem

Sinn seiner Weisheit nicht erbarmungswürdig unrecht zu tun:

„„Die stillsten Worte sind es, welche den Sturm bringen; Gedanken, die mit Taubenfüßen kommen, lenken die Welt.

Die Feigen fallen von den Bäumen, sie sind gut und süß; und indem sie fallen, reißt ihnen die rote Haut. Ein Nordwind bin ich reifen Feigen. Also gleich Feigen fallen euch diese Lehren zu, meine Freunde; nun trinkt ihren Saft und ihr süßes Fleisch! Herbst ist es umher, und reiner Himmel und Nachmittag —""

Hier redet kein Fanatiker, hier wird nicht gepredigt, hier wird nicht Glauben verlangt: aus einer unendlichen Lichtfülle und Glückstiefe fällt Tropfen für Tropfen, Wort für Wort, — eine zärtliche Langsamkeit ist das Tempo dieser Reden."

Es ist derselbe Ton, der uns aus diesen beiden Aufzeichnungen entgegenklingt. Zarathustra, der göttlich Leichtfertige, der Tänzer, in dem, sobald er reif geworden, wie in Caesar „die Kluft zwischen Schöpfersinn, Güte und Weisheit vernichtet ist", der in „Helle und Ruhe, im recht angewendeten verewigten Augenblicke" das Glück findet, ist jener Idealmensch überströmendsten Reichtums vielfältigster Kräfte, den die ersten Sätze schildern. Hier also steht das Bild des Uebermenschen in klaren Zügen vor uns. In ihm ist, um es mit einem Worte zu sagen, die innigste und, um im Gleichnis zu reden, organische Verschmelzung von Natur und Kultur zur Tatsache geworden. An die Stelle des Zwiespalts und Zwitters zwischen Pflanze und Gespenst, als welcher der bisherige Mensch erschien, an die Stelle des Bruchstückmenschen ist jener volle und ganze Mensch getreten, auf den als das Ideal der Zukunft Nietzsche schon in den unzeitgemäßen Betrachtungen hingewiesen hatte. Die wesentlichste Eigenschaft des Uebermenschen also ist die innere, seelische Einheit. In zweiter Linie charakterisiert ihn der Umfang und die Fülle aller geistigen und sinnlichen Kräfte. Jene Leichtigkeit und Heiterkeit seines Wesens aber, die Nietzsche mit dem Worte halkyonisch bezeichnet, ist nur die Folge dieser seelisch sinnlichen Struktur.

Die sprechende Aehnlichkeit, ja Identität dieses Ideals höchstentfalteter Menschlichkeit mit dem oben charakterisierten Schillers wird dem aufmerksamen Leser, um uns dieser altfränkischen und doch so wohltuend anheimelnden Formel zu bedienen, schon ohne weiteres klar geworden sein. Daß die Vereinigung und Verschmelzung von Natur und Kultur, die Ueberwindung des Zwiespaltes, die Ueberbrückung der Kluft, die sich im Laufe der Entwicklung zwischen den sinnlichen und geistigen Eigenschaften des Menschen geöffnet hat, auch von Schiller als das letzte Ziel der Menschheit erkannt und aufgestellt worden ist, darüber bedarf es keines Wortes mehr. In welchem Grade er aber hierin der Vorläufer Nietzsches ist, wird uns noch deutlicher, wenn wir uns erinnern, daß Schiller nicht nur in der Vereinigung, sondern auch in der vollsten Entfaltung aller Seiten der menschlichen Natur das Ziel sah.

Diese wird in vollem Umfange ausgemessen durch den Form- und Stofftrieb. Und indem diese zur harmonischen Wechselwirkung verschmelzen, also daß, um mit Nietzsches Worten zu reden, „ebenso der Geist in den Sinnen heimisch und zu Hause ist, wie die Sinne in dem Geist heimisch und zu Hause sind", sollen sie jeder für sich zu der höchsten Stufe ihrer Wirksamkeit emporgehoben werden. Dann entsteht jene Seele, die Nietzsche in den oben zitierten Sätzen schildert. Die Seele der größten Tiefe und des weitesten Umfanges, „die notwendigste, die sich mit Lust in den Zufall stürzt; die seiende, welche ins Werden, die habende, welche ins Wollen und Verlangen will", das heißt: die unter der Herrschaft des Formtriebes „alles Aeußere formen", und unter der Herrschaft des Sachtriebes „alles Innere veräußern will". Darum stürzt sie sich mit Lust in den Zufall, um sich selbst als Person, wie Schiller sagt, zu behaupten, den Dingen ihr Gesetz aufzudrücken. Darum will sie ins Werden, ins Wollen und Verlangen, weil sie nur so die Welt in sich aufnehmen und sich selbst zur Wirklichkeit machen kann. Die innige Verschmelzung und Wechselwirkung der beiden Triebe aber kann in poetischer Sprache nicht besser charakterisiert werden, als daß die Seele, in der sie sich vollzogen hat, bezeichnet wird als „die sich selber fliehende, welche sich selber in den weitesten Kreisen einholt" und „die sich selber liebendste, in der alle Dinge ihr Strömen und Widerströmen und Ebbe und Flut haben".

Das übermütig Leichte aber, das Unbedingte, wie es Nietzsche gelegentlich im Zarathustra bezeichnet, findet sich in dem Schillerschen Idealbilde weniger stark betont, aber es ist vorhanden, wenn auch in einer etwas anderen Färbung. Auch Schillers Idealmensch steht jenseits aller Schwere des Geistes. Das tritt in jenen oben zitierten Sätzen klar genug hervor. Es liegt auch an sich und ohne weiteres eingeschlossen in der Schiller eigentümlichen Idee der Ueberwindung jeder Art von moralischer Nötigung durch Einverleibung, um uns so auszudrücken, des Gesetzes. „Nimm die Gottheit auf in deinen Willen und sie steigt von ihrem Weltenthron.“ Ihre Herrschaft ist dann zu Ende und damit auch alles, was Herrschaft in der Seele des Beherrschten hervorzurufen pflegt: das Gefühl der Gebundenheit, der Untertanenschaft, um es nur anzudeuten, das krampfhafte Streben, dem Befohlenen gerecht zu werden. Der Geist der Schwere, der aus alle dem erwächst, ist überwunden. Es liegt aber noch mehr darin. Eine so frei gewordene und umfängliche Seele scheut vor keinem Pfade zurück, betretenem oder unbetretenem. Sie ist, wie Nietzsche sagt: die weiseste Seele, der die Narrheit am süßesten zuredet. Wenn wir uns dabei des Schillerschen Wortes: „Wage du zu irren und zu träumen“ erinnern, so erkennen wir, wie wenig weit Nietzsche auch in diesem Punkte über Schiller hinausgeschritten ist.

Können wir somit eine überraschende Aehnlichkeit, ja Uebereinstimmung der wesentlichsten Züge im Bilde des Schillerschen und Nietzeschen Idealmenschen feststellen, ohne damit seine Bedeutung zunächst völlig auszuschöpfen, so werden wir zur vollen Klarheit doch erst gelangen, wenn wir uns die Frage zu beantworten suchen, wie sich beide die Erziehung der Menschheit zu diesem Ideal hin gedacht haben. Damit erst werden wir den vollen Umfang ihres Denkens ausgemessen haben und das Bild des Uebermenschen, um diesen Gleichnisausdruck als den kürzesten beizubehalten, und seiner Kultur in aller Bestimmtheit vor uns sehen.

IV.

Die Erziehung der Menschheit.

Steht die Frage nach dem Ziele der Menschheit im Mittelpunkte des Denkens Nietzsches sowohl wie Schillers, woran nicht zu zweifeln ist, sobald man das Ganze ihrer Entwicklung ins Auge faßt, mögen sich auch zeitweise andere Seiten stärker hervordrängen, so läßt sich doch auch behaupten, daß das Problem der Erziehung des Menschen sie nicht minder stark beschäftigt hat. Das liegt einerseits in der Natur der Sache. Wer ein neues Ziel aufstellt, wird dazu gedrängt, auch über die Mittel und Wege nachzudenken, durch die es zu erreichen ist, wenn auch der wirkliche Hergang nie ein so einfach logischer sein wird. Andererseits führte sie die Art ihrer Begabung von vornherein dazu. Sie haben beide eine starke pädagogische Ader und Neigung. Beide beschäftigt vom Beginn ihrer Laufbahn an die Frage nach dem erzieherischen Charakter ihrer Tätigkeit. Sie sehen das, was sie selbst treiben, immer im Zusammenhang mit dem Ganzen des menschlichen Lebens. Was es in diesem Zusammenhange wirkt, das ist ihnen Lebensfrage und Ansporn zu neuen Taten und Quelle der Kraft.

Was Schiller angeht, so bedarf es hierzu kaum eines Wortes. Es ist allgemein bekannt oder zum wenigsten unbestritten und unbestreitbar, daß er über den Zweck der Kunst viel nachgedacht und geschrieben hat. Der jetzt so oft und mit so viel Emphase verkündete Grundsatz des l'artpour l'art oder gar l'art pour l'artiste lag, man möchte sagen, gänzlich außerhalb seines Gesichtskreises. War er in jungen Jahren geneigt, die Kunst unmittelbar in den Dienst bestimmter Ideen und Tendenzen, ja politischer Strömungen zu stellen, und dachte er eine Zeitlang alles Ernstes daran, die Schaubühne als Mittel zur moralischen Besserung des Publikums zu benutzen, so machte er sich allmählich von solchen, alle hohe Kunst erniedrigenden Vorstellungen frei. Immer aber blieb es ihm unzweifelhaft, daß die Kunst innerhalb des Lebens der Menschheit eine hohe und große Mission zu erfüllen habe. Welcher Art, das läßt sich vielleicht als das Kardinalproblem Schillers bezeichnen. Danach würde die Frage nach dem Ziele der Menschheit in ein sekundäres Verhältnis treten, die wir oben als im Mittelpunkte stehend bezeichnet haben. Sicherlich findet eine Wechselwirkung statt. Aber da sich die Frage nach dem Zwecke der Kunst nur beantworten läßt, nachdem die nach dem Zwecke der Menschheit beantwortet ist, so tritt diese wieder in den Vordergrund und wird zum Zentrum, auf das sich alles andere bezieht, ganz abgesehen davon, daß sie ihn von Jugend auf beschäftigt hat. Es sei nur an den oben erörterten Einfluß Rousseaus erinnert. Bei alledem aber ist zu beachten, daß Schiller geborener Künstler ist. Er ist nicht Künstler, weil ihm die Kunst eine irgendwie geartete, alsbald näher zu betrachtende erzieherische Mission hat, sondern weil er Künstler ist, beschäftigt ihn die Frage nach der Aufgabe speziell der Kunst. Daraus folgt eine gewisse Einseitigkeit bei Beantwortung der Frage: Wie kann die Menschheit zu dem Ideal des Uebermenschen erzogen werden.

Ganz ähnlich liegen die Dinge bei Nietzsche. Daß ihn zeit seines Lebens ein starkes, völlig unpersönliches Interesse vorwärts getrieben hat, das ist oben schon wiederholt betont worden, kann aber schließlich nicht oft genug betont werden. Es hat, wie er selbst sagt, nie an schlechten und verleumderischen Winken in bezug auf ihn gefehlt. Und es fehlt auch bis auf den heutigen Tag nicht daran. Gerade die Werke, die mit dem größten Anschein von Wissenschaftlichkeit seine Philosophie behandeln, sind voll davon. Die allerpersönlichsten Motive werden ihm untergeschoben. In Wahrheit aber kann es keinem Zweifel unterliegen, daß ihn immer nur sachliche Motive bewegt haben. Und da wirken ähnlich wie bei Schiller zwei Triebe in ihm zusammen: der pädagogische und der philosophische. Der pädagogische, Mittel und Wege zu finden, um die Menschheit aus ihrem gegenwärtigen unzulänglichen Zustand emporzuheben und zu einem höheren Typus zu erziehen; der philosophische mit der Sehnsucht nach absoluter Erkenntnis der Wahrheit. Der erste ist so stark in ihm ausgeprägt, daß er, wie wir sahen, zuzeiten tyrannisch in ihm herrscht und den zweiten unterjocht. Das war zu der Zeit, als er an Schopenhauer noch festhielt und für Wagners Kunst eintrat, um ihres erzieherischen Wertes willen, obwohl er sie längst hätte verlassen müssen, wäre er allein seinem philosophischen Genius gefolgt. Als er ihm dann schweren Herzens gefolgt war, schien er eine Zeitlang ausschließlich in seinem Banne zu stehen. Aber auch da schlief der idealbildende und erzieherische Trieb nicht völlig in ihm, wie wir zum Teil schon oben sahen. Die Frage, wie die Art philosophischer Erkenntnis, zu der er in seiner sogenannten positivistischen Epoche gelangte, auf die Entwicklung der Menschen wirke, beschäftigte ihn vielmehr unaufhörlich. Es ist das Ideal des freien Geistes, zu dem sie die Menschen erziehen soll. Da aber dieses Ideal des freien Geistes, der im Erkennen allein sein Genügen findet, in einer Sphäre kühler Skepsis lebend, seinem innersten Streben, ein zur höchsten Aktivität anspornendes Ziel der Menschheit zu finden, im tiefsten widersprach, fühlte er sich, im Ungenügen leidend, immer noch auf der Wanderschaft begriffen, einem unbekannten Ziele zu. Er hat es erreicht in dem Augenblick, in dem der idealbildende, wie der pädagogische und der philosophische Trieb gleichermaßen ihre Befriedigung finden. Das ist der Fall in der von der Gestalt Zarathustras beherrschten Epoche. Er ist nun auf der Stufe angelangt, auf der die philosophische, und zwar die metaphysische sowohl wie die moralische Erkenntnis, dem idealbildenden und erzieherischen Triebe nicht mehr widerspricht, sondern vielmehr ihm dient. Alle Saiten seines Wesens klingen zusammen. Daher das ungeheure Glücksgefühl, das ihn im Erfassen dieses Momentes erfüllt. Die Spannung seines Inneren ist gelöst.

Aus dem Gange dieser Entwicklung, oder vielleicht besser, aus der Art der Begabung Nietzsches folgt wie bei Schiller eine gewisse Einseitigkeit in der Beantwortung der Frage nach der Erziehung des Menschen zum Uebermenschen. Wie Schiller geborener Dichter, so ist Nietzsche geborener Philosoph. Darum erwartet er von der Philosophie die erzieherische, umbildende Wirkung. Daraus folgt weiter, daß die Ansichten beider in diesem Punkte weit auseinander gehen. Es bleibt jeder auf seinem ihm ureigenen Gebiete und daher scheint sich zwischen ihnen eine Kluft zu öffnen, die jeden Vergleich unmöglich macht. Jedenfalls ist hier der Punkt, an dem Nietzsche am weitesten sich von Schiller entfernt. Dennoch werden wir sehen, daß beider Ansichten in dieselbe Richtung weisen, ja sich stellenweise und nicht nur an nebensächlichen Punkten sogar berühren.

Schon darin berühren sie sich gewissenmaßen mit der ganzen Fläche ihrer Anschauungen, daß sie nicht sowohl von speziellen, etwa sozialen oder irgendwelchen staatlichen, vielleicht aus rassepolitischen Gesichtspunkten getroffenen Einrichtungen, als vielmehr von allgemeinen Ideen das Heil erwarten. Da sind es nun bei Nietzsche auf dem Gebiete der Ethik „die Umwertung aller Werte" auf metaphysischem, die Lehre vom „Willen zur Macht" und der „ewigen Wiederkehr des Gleichen", die wir hier unter dem angegebenen Gesichtspunkte betrachten wollen. Daß Nietzsche zu diesen Lehren nicht auf dem Wege gelangte, daß er darüber nachsann, wie wohl die Menschheit am besten zum Ideal des Uebermenschen erzogen werden könne, geht schon aus dem bisher Gesagten hervor, mag hier aber nochmals, um Mißverständnisse zu vermeiden, betont werden. Ebensowenig aber darf, wie geschehen ist, behauptet werden, daß die Konzeption der Idee des Uebermenschen eine Folge der moralischen und metaphysischen Vorstellungen ist, zu denen Nietzsche schließlich gelangt. Vielmehr sahen wir, daß die Gedanken Nietzsches vom Beginn seiner Laufbahn an der Konzeption einer solchen Idee zustrebten, daß sie im Keime schon in seinen ersten Werken enthalten ist. Und ebenso verhält es sich mit den übrigen Gedanken, die schließlich sein „System" bilden, wenn man so sagen will.

So ist zunächst der Gedanke einer „Umwertung aller Werte" nur die notwendige Konsequenz der früheren Gedankenentwicklung und zwar sowohl dem Inhalt, wie der Begründung nach. Wir sahen, daß es der Anblick der Schwächen der Kultur war, der den Nietzsche der ersten Periode dazu trieb, sie anzugreifen und ihr ein Gegenbild im Spiegel der Wagnerschen Kunst entgegenzuhalten. Die Vorstellungen, daß die europäische Menschheit im Niedergang begriffen sei, war ihm schon damals eigentümlich. Sie taucht in späterer Zeit von neuem mit ungleich größerer Schärfe vor ihm auf. Wie den Freund der Berge angesichts des immerwährenden Steinfalls der Gedanke schmerzlich durchzuckt, daß einst auch die stolzesten Spitzen zu Tal gestiegen sein werden, so ergriff Nietzsche die Erkenntnis mit neuer Gewalt, daß die Verflachung, Verkümmerung, Verherdung, kurz die „Dekadenz" der europäischen Menschheit unweigerlich herannahe, wenn ihr nicht beizeiten halt geboten werde. Er sieht den Nihilismus, „Nihilismus als Zustand, der den Wert und Sinn des Lebens, sowie alle Ideale ablehnt", den „unheimlichsten aller Gäste", vor der Türe stehen und damit die Gefahr eines allgemeinen Zusammenbruches. Hatte er in jüngeren Jahren die Ursache dieser Erscheinung in der Instinktverkümmerung seit Sokrates gesehen und daher seine Angriffe in der Hauptsache gegen die flachrationalistische und einseitig wissenschaftliche Betrachtung der Welt gerichtet, so sah er jetzt, nachdem er dazu gekommen war, die Wertvorstellungen der Menschen zu untersuchen, in der durch das Christentum zum Siege gelangten, lebensfeindlichen Wertungsweise die Ursache und dementsprechend in der Umwertung der herrschenden Werte den Weg zur Rettung. Denn noch stehen nach seiner Ansicht im modernen Menschen „neben der Krankheit Anzeichen einer unerprobten Kraft und Mächtigkeit der Seele". Diese gilt es zu wecken.

Da ist denn die erste und vornehmste Wertsetzung der herrschenden Religion und aller bisherigen Philosophieen, mit Ausnahme der der Skeptiker und der Heraklits, die vom Unwert des diesseitigen Daseins und dem absoluten Wert eines jenseitigen, die Nietzsche auf das schärfste bekämpft. „Ich beschwöre euch, meine Brüder, bleibt der Erde treu und glaubt denen nicht, welche euch von überirdischen Hoffnungen reden!" ruft Zarathustra der Menge zu. Immer wieder kommt er darauf zurück und warnt seine Jünger vor den Hinterweltlern, sowohl vor denen, die hinter der Welt noch eine andere annehmen, als vor denen, die die Welt von hinten betrachten, das heißt, ihre Nacht- und Kehrseite besonders ins Auge fassen und danach das Leben verleumden. Beides hängt unmittelbar zusammen. Denn wer der wirklichen Welt eine wahre Welt gegenüberstellt, wer das Leben nur auffaßt als eine Vorbereitung zu dem wahren jenseitigen Leben, der verurteilt damit das diesseitige Leben. Von Anfang an sehen wir Nietzsche selbst zu der Zeit, als er öffentlich für die lebensfeindliche Philosophie Schopenhauers kämpfte, für das Leben des Diesseits eintreten, bemüht, ihm den tiefsten Gehalt zu geben. Mühen sich seine Prosaschriften der zweiten und dritten Epoche ab, im einzelnen die Unhaltbarkeit und Willkürlichkeit der Annahme einer solchen wahren Welt nachzuweisen und die Motive aufzuzeigen, die zu dieser Annahme geführt haben, so gelangt er in der dritten Epoche dazu, ihr eine eigene Hypothese gegenüberzustellen, deren erste Bedeutung darin liegt, die denkbar äußerste Formel der Lebensbejahung zu sein. Es ist die Lehre von der „ewigen Wiederkunft des Gleichen".

Der Lehrer der ewigen Wiederkunft ist Zarathustra:

„Siehe, wir wissen," sagen ihm seine Tiere, der Adler und die Schlange, „was Du lehrst: daß alle Dinge ewig wiederkehren und wir selber mit und daß wir schon ewige Male dagewesen sind, und alle Dinge mit uns.

Du lehrst, daß es ein großes Jahr des Werdens gibt, ein Ungeheuer von großem Jahre. Das muß sich einer Sanduhr gleich immer von neuem umdrehen, damit es von neuem ablaufe und auslaufe: so daß alle diese Jahre sich selbst gleich sind im größten und auch im kleinsten, — so daß wir selber in jedem Jahre uns selber gleich sind, im größten und auch im kleinsten."

Diese Lehre, die die Realität von Zeit, Raum und Kausalität und die Begrenztheit der Welt zur Voraussetzung hat, — „diese Welt: ein Ungeheuer von Kraft ohne Anfang, ohne Ende, eine feste, eherne Größe von Kraft, welche nicht größer, nicht kleiner wird, die sich nicht verbraucht, sondern nur verwandelt, als Ganzes unveränderlich groß, ein Haushalt ohne Ausgaben und Einbußen, aber ebenso ohne Zuwachs, ohne Einnahmen, vom „Nichts" umschlossen als von seiner Grenze" — diese Lehre weist die Menschen mit allem Nachdruck auf das diesseitige Leben. Es wird durch sie zum ewigen Leben. Diese Lehre ist, wie gesagt, der denkbar schärfste Ausdruck der Lebensbejahung und vielleicht als solcher von Nietzsche konzipiert. Mehr, in höherem Grade läßt sich das Leben nicht bejahen. Nietzsches ganze Entwicklung, kann man sagen, drängte zu diesem Schluß. Wer von früh an darauf ausging, das Leben zu verherrlichen, wie sollte der nicht mit seiner Ewigkeitserklärung schließen?

Damit ist freilich die Bedeutung der Lehre von der ewigen Wiederkunft des Gleichen nicht erschöpft. Aber in dem Zusammenhang, in dem wir sie hier betrachten, stellt sie sich uns zunächst dar als ein Mittel mit des Kampfes gegen die Jenseitigkeitslehre der herrschenden Religionen. Und ebenso läßt sich die zweite metaphysische Hypothese Nietzsches — anders läßt sie sich nicht bezeichnen, aber schließlich ist jede Metaphysik Hypothese, — die Lehre vom „Willen zur Macht", als ein solches Kampfmittel auffassen.

Auch hier kehrt Nietzsche zu den Ideen seiner Jugend zurück: der Voluntarismus Schopenhauers nimmt ihn von neuem gefangen. Wie dieser, erblickt er im Willen den innersten Kern nicht nur des Menschen, sondern aller Dinge der Welt überhaupt.

„Die Welt von innen gesehen", heißt es in „Jenseits von Gut und Böse", „die Welt auf ihren intelligibeln Charakter hin bestimmt und bezeichnet, sie wäre eben Wille zur Macht und nichts außerdem." Er macht also denselben Schluß von der Natur des Menschen auf die Natur der Welt wie Schopenhauer. Ein Anthropomorphismus, wie man zu sagen pflegt. Aber wie sollten die Vorstellungen und Schlüsse der Menschen nicht anthropomorph sein. Sie werden es sein, solange die Menschen Menschen sind. Wie sollten sie sich außer sich selbst setzen können? — An die Stelle des Schopenhauerschen Willens zum Dasein aber ist der Wille zur Macht getreten. Ein auf den ersten Blick unwesentlicher, bei näherer Betrachtung aber nicht bedeutungsloser Unterschied. Der Wille zum Dasein hat einen, man möchte sagen, schwächlichen, defensiven und zugleich unbestimmten Charakter, der Wille zur Macht einen kräftigen, offensiven und bestimmteren. Er besagt, daß alles, was lebt, nicht nur im Dasein bleiben will, womit über die Form dieses Daseins nichts ausgesagt wäre, sondern daß alles, was lebt, nach möglichst ausgedehnter und starker Entfaltung seiner Kräfte strebt. Das Leben ein Kampf nicht um die bloße Existenz, sondern um die kraftvollste Existenz. Diese Auffassung liegt durchaus in der Richtung der Anschauungen Nietzsches, soweit wir sie bisher kennen gelernt haben. Was aber zunächst wichtiger für uns ist: Dieser Wille zur Macht hat jede mystische Färbung, die dem Willen zum Dasein Schopenhauers anhaftete, verloren. Er ist nicht das leidende Urwesen, das wider Willen die Verbindung mit der Welt, die Individuation, eingegangen ist und nach Erlösung aus diesen Banden trachtet, sondern er ist das eigentliche Wesen der Welt, diesseits von Raum und Zeit, das in jedem ihrer Teile lebend, sich in jedem offenbart. Die Welt ist also nach dieser Auffassung eine Summe von Kräften, die sich beständig drängen, stoßen und schieben, jede bestrebt, soviel Luft und Licht wie möglich für sich zu erwerben. Ein beständiges Werden, ein Auf und Nieder von Kraftäußerungen, die immer neue Verbindungen miteinander eingehen, bis die Summe aller möglichen erschöpft ist und der Kreislauf von neuem beginnt. Damit berührt sich die Lehre vom Willen zur Macht mit der von der ewigen Wiederkunft des Gleichen. Jene aber, wie diese, lassen keinen Raum für ein irgendwie geartetes Jenseits, wie noch die Philosophie Schopenhauers, wenn deren Jenseits auch nur das Nirvana ist.

Ergab sich uns schon aus der Art des Zieles, das Nietzsche der Menschheit setzt, daß das diesseitige Leben als der oberste Wert seiner Philosophie anzusetzen ist, so erkennen wir das nunmehr mit ungleich größerer Schärfe. Aus dieser ersten Umwertung folgen alle übrigen. Gut heißt nunmehr, das wäre die einfachste Formel, alles, was das diesseitige Leben fördert, schlecht alles, was es schwächen oder schädigen könnte.

Was aber kann das Leben schädigen? Die einfachste, sich von selbst ergebende Antwort wäre: alles, was das Leben verneint, das heißt vor allem — diese Antwort im Sinne Nietzsches gegeben — eine Religion, eine Philosophie, eine Kunst, eine Kultur, die in dieser Richtung wirken. Denn was der praktisch Denkende vielleicht zunächst erwarten würde: schlechte soziale Verhältnisse mit all ihren Folgeerscheinungen, körperlichen und seelischen, steht bei Nietzsche erst in zweiter Linie, wenn es auch in den Aufzeichnungen, die er zurückgelassen hat, stärker hervortritt als in den von ihm selbst veröffentlichten Schriften. Aber diese Antwort würde allzu summarisch sein und uns weder von dem reifen Denken Nietzsches ein Bild geben, noch überhaupt befriedigen können.

Denn wenn das Leben Wille zur Macht ist, der sich allerorten entfaltet, von sich aus, aus ureigenem, unzerstörbarem inneren Drange, so muß jede Form der Wertung, mag sie sein, wie sie will, einen Ausdruck dieses Willens zur Macht vorstellen. Sie muß also letzten Endes im tiefsten Kerne ihres Wesens lebensbejahend sein. Es kann demnach gar keine Wertungsweise geben, die an sich und durchaus lebenverneinend und lebenzerstörend wäre.

Diese Einsicht ist denn auch Nietzsche nicht verschlossen geblieben. Sie ist schon im Zarathustra enthalten und ganz unzweideutig ausgesprochen in den nachgelassenen Aufzeichnungen zu dem schon erwähnten, geplanten, aber nicht vollendeten Hauptwerke, dessen beste Skizze sich im zweiten Bande der von seiner Schwester verfaßten Biographie findet. Ja, man kann sagen, es ist die Grundeinsicht, zu der Nietzsche schließlich gelangt, und die ihm besonders eigentümliche. Wenn sich die Dinge aber so verhalten, wenn jede Art, die Erscheinungen der Welt zu bewerten, also sowohl die, welche das irdische Leben und seine Herrlichkeit verachtet und dementsprechend von den einzelnen die spezifisch christlichen Tugenden der Demut, des Gehorsams, der Friedfertigkeit, der Selbstverleugnung fordert, als auch die, welche dieses Leben allein bejaht und daher Frohsinn, Kraft, Schönheit, Tapferkeit, Selbstbewußtsein, Selbstsucht des Starken als Tugenden empfindet, im Grunde eins ist, aus derselben Quelle entspringend, so ist es klar, daß jene allgemeine Antwort, die sich uns zunächst aufdrängte, nicht genügen kann, daß nun erst recht die Frage erhoben werden muß: Was kann das Leben schwächen?

Da gibt uns nun eine weitere Erwägung den richtigen Fingerzeig. Die nähere Betrachtung nämlich lehrt uns, daß innerhalb dieser Welt von Kräften eine Stufenfolge besteht, daß das Leben sich nicht an allen Punkten mit gleicher Kraft und Fülle entfaltet. Was im besonderen das menschliche Leben angeht, so sind zwei Typen zu unterscheiden, die als Extreme sich gegenüberstehen, verbunden, wie sich nicht zweifeln läßt, wenn das auch bei Nietzsche weniger betont ist, durch eine Fülle von Zwischenstufen: der schwache Mensch, „der Schlechtweggekommene", der von der Natur stiefmütterlich behandelte, „der Dekadent" erwachsen auf dem Zweige des niedergehenden Lebens und der starke Mensch, erwachsen auf dem Zweige des aufsteigenden Lebens, begabt mit verschwenderischer Fülle der sinnlichen und geistigen Kräfte.

Darin haben wir den zweiten Hauptpunkt der philosophischen Anschauungen Nietzsches zu sehen. Er proklamiert damit die Ungleichheit als Gesetz der Natur. Ein Gesetz, auf das oben schon hingewiesen wurde und das jedem tiefer Schauenden sich ohne weiteres offenbart und nicht nur ihm, sondern jedem. Es hat wohl kaum jemals jemand an der Verschiedenheit der Menschen gezweifelt. Aber diese Verschiedenheit, und das ist das Entscheidende, wurde und wird in der herrschenden Moral nicht als essentiell empfunden, sondern als zufällig und letzten Endes unwesentlich. „Vor Gott sind alle Seelen gleich", lautet der oberste Grundsatz. Für Nietzsche aber ist diese Ungleichheit nichts Zufälliges, sondern Ausdruck des innersten Wesens der Dinge.

Diese fundamentale Ungleichheit der Menschen muß nun notwendigerweise eine verschiedene Art, die Erscheinungen des Lebens zu werten, hervorrufen. Denn das schwache Leben bedarf einer anderen Perspektive des Daseins, um sich zu erhalten und zu entfalten als das starke. Jede ist für sich betrachtet gut; denn ihr Ziel ist Erhaltung des Lebens, da sie ja nur eine Form des Willens zur Macht ist, der das Wesen ist der Welt. Damit stellt sich Nietzsche nicht nur jenseits von Gut und Böse, sondern auch jenseits von Gut und Schlecht als absoluter Größen.

Und damit erkennen wir nunmehr unschwer, was das ist, was allein dem Leben furchtbar werden kann: die Verkennung dieses Sachverhaltes, der Zweifel an der Ungleichheit, der Glaube an die Gleichheit der Menschen und daraus folgend die Uebertragung der von der einen Gruppe der Menschen zu ihren Gunsten erfundenen Wertungsweise auf das Allgemeine, die Tyrannei einer doch nur einer bestimmten Form des Lebens dienenden Wertskala.

Besonders verhängnisvoll muß es sein, wenn die Weltanschauung der Schwachen, der Schlechtweggekommenen zur unbedingten Herrschaft gelangt. Denn dann entsteht die Gefahr, daß der wertvollste Teil der Menschen, diejenigen, in denen die Fülle der Kraft wohnt, zu einer Auffassung der Welt gedrängt wird, die zerstörend auf sie wirkt, sie auf das Niveau der Schwachen herabzieht und die Neuentstehung dieser wertvollsten, fruchtbarsten Lebensgebilde erschwert, ja womöglich überhaupt verhindert. Dieser Teil der Menschen ist der wertvollste, weil in ihnen der Wille zur Macht, der das Leben ist, zur höchsten Entfaltung kommt. Wenn es also auch nach dieser Auffassung Nietzsches keine absoluten Gegensätze schlecht und gut gibt, so gibt es doch ein Gut und Besser. Es ergibt sich also eine Stufenfolge, eine Rangordnung sowohl innerhalb der Kräfte, die das Leben der Menschheit darstellen, als innerhalb der Werte, durch die es sich erhält. Sie stehen um so höher, ein je größeres Quantum Macht, das heißt Kraft, Fülle, Gesundheit sie darstellen.

Jenes Gefährlichste nun, jenes schlimmste Verhängnis des Lebens, daß die Wertungsweise der Schwachen zur tyrannischen Herrschaft gelangt, scheint Nietzsche in der gegenwärtigen Welt zur Tatsache geworden zu sein. Das suchen sowohl die Reden Zarathustras, wie die Prosaschriften der letzten Epoche, vor allem „die Genealogie der Moral" darzulegen. Hier unternimmt er es, nachzuweisen, daß die Wertungsweise der Wohlgeratenen, die „Herrenmoral" die ursprüngliche gewesen ist, daß sich dagegen erst im langsamen Aufsteigen die der kleinen Leute, die das, was die Herren als gut ansetzten, als böse empfanden, gewehrt habe, bis das Christentum, das er als den großen Sklavenaufstand in der Moral bezeichnet, ihnen zum völligen Siege verhalf, wenn auch in einzelnen Epochen, z. B. der Renaissance, und in einzelnen großen Männern, wie Napoleon und Goethe, der Rückschlag erfolgte. Diese Tyrannei gilt es zu brechen, um einem robusteren Ideale, wie Nietzsche sagt, Luft zu schaffen. Das ist der Sinn der Umwertung aller Werte.

Gehen wir etwas ins einzelne, auch hier aber schließlich mehr andeutend als ausführend, so ergibt sich fast von selbst, daß auf dem Gebiete der moralischen Anschauungen die Tugenden an die erste Stelle treten, die das Christentum entweder ganz verneint oder umdeutet oder in den Hintergrund schiebt. Der Begriff der Tugend selbst zunächst bekommt eine andere Färbung. Tugend ist Tüchtigkeit an Leib und Seele, ἀρετή im Sinne der Griechen, die virtus der Römer, virtù im Sinne der Menschen der Renaissance. Wer sie hat, ist kräftigen und schönen Leibes, tapferen Gemütes — was ist gut? tapfer sein ist gut, heißt es im Zarathustra — er besitzt alle Eigenschaften des Kriegers, zu denen gehören List und Härte. Härte auch, und vor allem gegen sich selbst. Denn es gilt, sich selbst zu erziehen zu dem Ideal der eigenen Persönlichkeit. Dazu muß man durch eine harte Schule gehen. Bietet sie sich nicht von selbst, trägt einen das Schicksal allzu gütig auf Händen, so muß man sie suchen. Es heißt also absehen von sich selbst, sich immer von neuem überwinden, soweit der Hang zum Bequemen, Lässigen, zum Ausruhen, zum Sichhingeben, zum friedlichen Genießen, der in jedem Menschen lebt, sich hervordrängen will. Aber nicht sich verlieren ist Tugend, sondern sich bewahren, nicht Selbstverleugnung, sondern Selbstbejahung, nicht sich gemein machen mit allen, sondern sich absondern, das Pathos der Distanz üben, nicht Niedrigkeit, sondern Vornehmheit in Worten, Handlungen und Gebärden, nicht unbedingte Selbstlosigkeit, sondern Selbstsucht. Aber nicht jene niedrige Selbstsucht, die an allen Orten, auch wenn sie nicht die saubersten sind, ihren Vorteil aufliest, sondern die Selbstsucht, die ihre Berechtigung findet in der Fülle der Kraft der Persönlichkeit. Wie denn Nietzsche sagt: der Egoismus ist soviel wert, wie der wert ist, der ihn hat. Gerade an diesem Punkte erkennen wir deutlich, daß diese Werte für Nietzsche keine absoluten Werte sind. Es ist der große Gedanke einer Oekonomie der Werte, der Nietzsche in den Jahren der Reife immer mehr gefangen nimmt. Sein Leiden hat ihn nicht dazu kommen lassen, ihn näher auszuführen.

Aber nicht nur, daß kleine Leute kleine Tugenden brauchen, wie es in Zarathustra heißt, sondern auch, daß kleine Leute nötig sind, erkennt Nietzsche mit immer größerer Klarheit. Sie sollen das breite Fundament bilden, auf dem sich die höhere Art Mensch erhebt, seine Basis zugleich und sein Widerstand, denn er braucht den Kampf. So ergibt sich nicht nur die Notwendigkeit, sondern auch die Wünschbarkeit der Erhaltung des christlichen Ideals. Das öffentlich zu verkünden, dazu gehörte eine Selbstüberwindung, die vielleicht die härteste war von allen, die Nietzsche vollzogen hat. Denn „es geht ihm schwer ein", wie Zarathustra sagt, „daß kleine Leute nötig sind". Und was ihm den Gedanken der ewigen Wiederkunft des Gleichen als wahrhaft furchtbar erscheinen läßt, ist die Vorstellung, daß auch das Häßliche, Kleine, Entartete ewig wiederkehrt. „Der kleine Mensch kehrt ewig wieder", seufzt Zarathustra in namenloser Qual, „der kleine Mensch, des ich müde bin."

Bei alledem aber ist offenbar, daß das Ideal liegt in jener Herrenmoral der Kraft, Schönheit und Lebensbejahung. Sie ist die erste, die wertvollste, ihr gilt es Raum zu schaffen. Denn durch sie wird die Menschheit zum Uebermenschen erzogen, indem sie sie allmählich in sich aufnimmt, sich einverleibt. Sie muß nach Nietzsche instinktiv werden. Denn die äußerste Helligkeit des Bewußtseins, die Herrschaft der Logik, die Begründung alles Handelns auf Einsicht und Vernunft scheint ihm nicht lebenfördernd, sondern lebenhemmend zu sein. Auch damit kehrt er zu den Gedanken seiner Jugend zurück, die ihn den unbedingten Drang nach Wahrheit als gefährlich erkennen ließen. Denn das Leben bedarf nach seiner Ansicht der Perspektive, „der Vordergründe", des Unbewußten, um sich zu erhalten. Daher ist es denn auch nicht der Uebermensch selbst, der die klarste verstandesmäßige Einsicht in das Wesen der Dinge besitzt, sondern die Herrenrasse, die sich zunächst über der Menge herrschend erheben soll, und vor allem die Philosophen, deren Aufgabe es ist, die Werte festzusetzen, und als deren Vorläufer sich Nietzsche betrachtet. Der Uebermensch selbst, ein Produkt langer Entwicklung, handelt weniger bewußt als instinktiv aus der Fülle und dem Reichtum seines Wesens heraus, er, der rechtwinklig ist an Leib und Seele, wie Nietzsche sagt.

Zunächst aber ist der Drang nach Wahrheit der unbedingt herrschende und soll es sein, wenn wir Nietzsche recht verstehen. Denn eben durch ihn wird die Moral als absolute Größe überwunden. Eine Ueberwindung, die schließlich eine Selbstüberwindung ist. Denn durch das Christentum ist der Sinn für

Wahrhaftigkeit großgezogen worden. An „dieser großgezogenen Wahrhaftigkeit" geht es nach Nietzsche zugrunde, da sie den Menschen zur Einsicht bringt über die Falschheit und Unbegründetheit der christlichen Welt- und Lebensanschauung. Indem diese aber zusammenstürzt, verliert die Menschheit den Halt, den der Glaube an die absolute Moral ihr gab. „Es kommt der Rückschlag," wie Nietzsche sagt, „von Gott ist die Wahrheit in den fanatischen Glauben: alles ist falsch." Damit bereitet sich der Nihilismus vor, das heißt, der Glaube an den absoluten Unwert des Daseins, den hervorzurufen nach Nietzsches Meinung auch noch andere Faktoren am Werke sind. Daß dieser Nihilismus aber weiter um sich greift, sieht Nietzsche als wünschenswert an. Denn er soll den Boden bereiten, auf dem sich die kraftvolle Art Mensch zur Herrschaft erhebt, dem Leben von neuem Sinn gebend und es rechtfertigend.

Diese nihilistische Bewegung zu verstärken dient nun, abgesehen von jener oben erörterten Bedeutung, die Lehre von der ewigen Wiederkunft des Gleichen. Sie ist neben der Umwertung aller Werte, die sich auf der Erkenntnis des Willens zur Macht als des Prinzips des Lebens stützt, der eigentliche „große züchtende Gedanke", wie Nietzsche selbst sagt, den seine Philosophie bringt, das Hauptmittel, die Menschheit zum Ideal des Uebermenschen zu erziehen. Indem diese Lehre den Nihilismus auf die Spitze treibt — dieses Leben ohne Sinn und Ziel ewig, unvermeidlich wiederkehrend, ohne die tröstliche Aussicht selbst eines Versinkens ins Nichts, — wird sie zum großen Prüfstein der Geister. Eine ungeheure Krisis wird heraufbeschworen, in der die Menschen sich scheiden nach dem Maße der Kraft, die ihnen innewohnt. Denn nur die Starken werden die Lehre von der ewigen Wiederkunft des Gleichen ertragen, die Starken, das heißt, „die Mäßigsten, die, welche keine extremen Glaubenssätze nötig haben, die, welche einen guten Teil Zufall, Unsinn, nicht nur zugestehen, sondern lieben, die, welche vom Menschen mit einer bedeutenden Ermäßigung seines Wertes denken können, ohne dadurch klein und schwach zu werden: die Reichsten an Gesundheit, die den meisten Malheurs gewachsen sind, und deshalb vor den Malheurs sich nicht so fürchten, Menschen, die ihrer Macht sicher sind und die die erreichte Kraft des Menschen mit bewußtem Stolze repräsentieren". Die Schwachen aber, die physiologisch Schlechtweggekommenen, das heißt, „die ungesundeste Art Mensch in Europa, in allen Ständen, die der Boden des Nihilismus ist", wird die Lehre der ewigen Wiederkunft als einen Fluch empfinden, von dem „betroffen man vor keiner Handlung mehr zurückscheut". Dagegen werden sich die Starken zusammenschließen. Und indem sie in diesem Kampfe gegen die praktischen Konsequenzen des Nihilismus unter sich selbst zur Scheidung kommen, die Schwächeren erkennend und unterordnend, die Stärkeren ans Licht ziehend und zu Herren machend, unterdrücken und vernichten sie die Schwachen, soweit sie nicht schon, ihres Haltes beraubt, an dem sich ihnen eröffnenden Aspekt des Lebens zugrunde gegangen sind. Die Starken aber werden den Nihilismus so überwindend die Lehre der ewigen Wiederkunft nicht nur ertragen, sondern aus ihr den stärksten Antrieb schöpfen, zur vollsten Entfaltung der eigenen Kräfte und Anlagen. Denn jede Handlung, jeder Augenblick bekommt durch sie Ewigkeitswert. Er gewinnt unendlich an Bedeutung. Darum bezeichnet Nietzsche seine Lehre als das größte Schwergewicht. Wer kräftig an Geist und Körper an sie glaubt, der wird streben, aus seinem eigenen Leben ein Kunstwerk zu machen von solcher Größe und Schönheit, daß er es immer wieder erleben will. Er wird sich dem Ringe der ewigen Wiederkunft anverloben, ja sagend zum Leben, auch in seiner furchtbarsten Form, dem Notwendigen sich freiwillig unterwerfend, beseelt von der Liebe zum Schicksal, dem amor fati Nietzsches. Und er wird von hier aus mit seinem Geschick sich begnügend, wenn ihm selbst die Tore zum Höchsten verschlossen sind, in der Mitarbeit an der Erzeugung des das Leben rechtfertigenden vollkommenen Typus Mensch, des Uebermenschen, sein Glück und seine Erlösung finden.

Damit hätten wir, von Einzelheiten abgesehen, die später noch berührt werden sollen, die Antwort gefunden auf die Frage, wie sich Nietzsche die Erziehung des Menschen zum Ideal des Uebermenschen denkt.

Wenden wir uns von hier aus zu Schiller, so begeben wir uns damit wieder auf ein engeres Gebiet. Wir kehren aus der grenzenlosen Weite der Betrachtung wieder zurück in jene engere Welt der Aesthetik, durch deren Tore wir eintraten, um schließlich aber doch wieder auf die höchsten Höhen geführt zu werden, von denen sich uns der Blick eröffnet auf das Ganze des menschlichen Lebens. Denn eben hierin beruht die Eigentümlichkeit und der Grund der Größe Schillers, daß er zwar immer in den Grenzen seines künstlerischen Berufes bleibend, doch Welt und

Leben umfaßt. Aber da er von ästhetischen Untersuchungen ausgeht, erhalten wir, wie schon bemerkt, auf die oben aufgeworfene Frage eine bedeutend engere Antwort, als Nietzsche sie uns gegeben hat. In aller Kürze lautet sie, wie wir nach allem erwarten müssen: die Kunst soll den Menschen zum Ideal des Menschen erziehen.

Hierbei ist nun zu unterscheiden zwischen einer allgemeineren und einer spezielleren Wirkung der Kunst.

Schiller gelangt ziemlich früh dazu, der Kunst ganz im allgemeinen eine außerordentlich bedeutende Stellung in der Entwicklung der Menschheit zuzuschreiben. Seine philosophischen Gedichte, vor allem „Die Künstler", behandeln diesen Gedanken. „Nur durch das Morgentor des Schönen drangst du in der Erkenntnis Land", heißt es hier. Und nicht nur in das Land der Erkenntnis, auch in das der Sittlichkeit:

„Was erst, nachdem Jahrtausende verflossen,
Die alternde Vernunft erfand,
Lag im Symbol des Schönen und des Großen,
Voraus geoffenbart dem kindischen Verstand.
Ihr holdes Bild hieß uns die Tugend lieben,
Ein zarter Sinn hat vor dem Laster sich gesträubt,
Eh' noch ein Solon das Gesetz geschrieben,
Das matte Blüten langsam treibt.
Eh' vor des Denkers Geist der kühne
Begriff des ew'gen Raumes stand,
Wer sah hinauf zur Sternenbühne,
Der ihn nicht ahnend schon empfand?"

Ja, der Mensch ist zum Menschen erst durch die Kunst geworden. In ihr

„Zum ersten Mal genießt der Geist,
Erquickt von ruhigeren Freuden,
Die aus der Ferne nur ihn weiden,
Die seine Gier nicht in sein Wesen reißt,
Die im Genusse nicht verscheiden."

Und:

„Jetzt fiel der Tierheit dumpfe Schranke,
Und Menschheit trat auf die entwölkte Stirn;
Und der erhabne Fremdling, der Gedanke,
Sprang aus dem staunenden Gehirn."

Die Vorstellungen, die in diesen Versen enthalten sind, hat Schiller später in den „Briefen über die ästhetische Erziehung des Menschen" philosophisch zu vertiefen und zu begründen unternommen.

Wir sahen, wie ihm die menschliche Natur bei näherer Betrachtung in zwei Teile auseinander zu fallen schien, in das empfangende und das selbsttätige Vermögen, dem der Stoff- und der Formtrieb entsprechen, und wie er in der Vereinigung, Verschmelzung und Wechselwirkung dieser beiden Triebe bei vollster Entfaltung jedes von ihnen die Idee der Menschheit sah. Eben aus dieser Tatsache, daß nämlich die Idee der Menschheit niemals in der einseitigen Entwicklung einer der beiden Seiten der menschlichen Natur gesehen werden kann, weil dadurch die Vernunft niemals zufriedengestellt würde, ergibt sich ihm die Existenz eines dritten Triebes, der die Wirksamkeit der beiden anderen in sich faßt. Dieser wird also, während der Sachtrieb bestimmt werden, sein Objekt empfangen will, der Formtrieb aber selbst bestimmen, sein Objekt hervorbringen will, bestrebt sein, wie Schiller sagt, „so zu empfangen, wie er selbst hervorgebracht hätte, und so hervorzubringen, wie der Sinn zu empfangen trachtet". Schiller bezeichnet diesen dritten Trieb äußerst glücklich in der Wahl des Ausdrucks als „Spieltrieb". Denn im Spiele, im edelsten Sinne, entfalten sich alle Kräfte des Menschen in ungezwungener Wechselwirkung, ohne jede physische und moralische Nötigung. Daher sagt Schiller: „Der Mensch spielt nur, wo er in voller Bedeutung des Wortes Mensch ist, und er ist nur da ganz Mensch, wo er spielt."

Der Gegenstand des Spieltriebes ist nun für Schiller das Schöne.

Daraus läßt sich nach dem Gesagten ohne weiteres entnehmen, wie Schiller das Verhältnis des einzelnen zur Kunst auffaßt. Man betrachtet es gemeinhin als ein bloß genießendes. Man genießt die Kunst, wie man irgend etwas anderes genießt. Schiller erhebt sich hoch über diese vulgäre Auffassung, die sich wunderbarerweise bis auf den heutigen Tag erhalten hat, indem er von der Schönheit behauptet, daß sie „zugleich unser Zustand und unsere Tat" ist, das heißt, daß wir in ihrem Genusse empfangen und zugleich selbst schöpferisch tätig sind. Das leuchtet bei tieferem Nachdenken unmittelbar ein. Kein Kunstwerk wird wahrhaft innerlich aufgenommen, wenn der Zuschauer oder Hörer es nicht innerlich nachschafft. Diese Art des Empfangens und Schaffens aber ist eine andere, als die sonst geübt wird. Wenn der Mensch die Schönheit empfindet, tritt er zum ersten Male in ein liberales Verhältnis, wie Schiller sagt, zu den

Dingen, in das der Betrachtung. Während ihm sonst die Welt der Objekte ein Gegenstand des Schreckens oder der Begierde oder ein Gegenstand seines Forschungs- und Gestaltungstriebes ist, so läßt sie ihn hier, wenn er ihre Schönheit empfindet, zum ersten Male frei von diesem doppelten Zwange. Denn indem er die Form der Dinge auf sich wirken läßt, empfängt er ohne den Drang, die Dinge an sich zu reißen, sie in sich aufzunehmen, und indem er die Form innerlich nachschafft, gestaltet er, ohne doch die Dinge nach sich zu gestalten. Wer völlig von einem Kunstwerke gefangen genommen wird, wer sich ihm ganz hingibt, empfängt demnach, wie er selbst hervorgebracht hätte, und bringt hervor, wie der Sinn zu empfangen trachtet. In der Lehre Kants vom interesselosen Wohlgefallen am Schönen ist diese Gedankenentwicklung zum Teil vorgebildet.

Diesen Zustand der innerlichen Freiheit von jeder Herrschaft des Sach- und Formtriebes, der Sinnlichkeit und Geistigkeit, der doch zugleich ein Zustand der Fülle, der harmonischen Tätigkeit beider Seiten der menschlichen Natur ist, bezeichnet Schiller als den ästhetischen Zustand oder auch als den Zustand der Bestimmungsfreiheit, frei von, wie frei zu jeder Bestimmung. Denn von ihm geht der Mensch mit Leichtigkeit in jeden anderen über.

Schillers Idee ist nun, daß dieser ästhetische Zustand, in den uns der Genuß des Schönen versetzt, die Durchgangspforte bildet, durch die der Mensch aus dem physischen in das moralische Reich tritt. Erleidet er im physischen Zustande, wie wir sahen, nur die Macht der Natur, so befreit ihn der ästhetische von ihr.

Es ist ihm die Möglichkeit gegeben, von hier aus seine Vernunft zur Entfaltung zu bringen. Denn die Möglichkeit eines unmittelbaren Ueberganges vom physischen in den moralischen Zustand leugnet Schiller. Die Kluft, die das Empfinden vom Denken, das Leiden von der Tätigkeit trennt, ist nach seiner Begriffsentwicklung unendlich. Die Vermittlung kann nur geschehen durch ein neues Vermögen, eine neu im Menschen erwachende Fähigkeit, eben durch das Vermögen des Spieltriebes, durch die Fähigkeit, gewissermaßen von der Realität der Dinge zu abstrahieren und nur ihre Form auf sich wirken zu lassen.

Damit enthüllt sich uns der tiefere Sinn jener oben zitierten Verse. Wir erkennen die entwicklungsgeschichtliche Rolle, die Schiller dem Schönen zuschreibt, die aber, wie sich von selbst versteht, und wie Schiller auch ausdrücklich betont, nur Idee ist. Wir erkennen zugleich aber auch, was für uns ungleich wichtiger ist, die allgemeinste Aufgabe der Kunst in der Gegenwart. Denn in der gegenwärtigen Menschheit findet sich nach der Ansicht Schillers, wie wir schon im zweiten Kapitel sahen, jene doppelte Abirrung vom Ideal, die sich ausdrückt in einer einseitigen Herrschaft des sinnlichen oder des geistigen Vermögens. Die Menschen von diesem doppelten Zwange zu befreien, indem sie sie in den ästhetischen Zustand versetzt, ist die Aufgabe der Kunst. Schillers Meinung geht dahin, daß durch wiederholten Kunstgenuß eine kumulierende Wirkung erreicht wird, derart, daß der Mensch schließlich immer weniger von den Eindrücken der Außenwelt bedrängt oder zum Herrschen verführt immer freier wird, sich selbst zu bestimmen. Schiller hat sich darüber ausführlicher in der herrlichen Vorrede zu der „Braut von Messina" ausgelassen.

Dies also ist die allgemeinste erziehliche Wirkung des Schönen. Indem es den Menschen in einen Zustand innerlicher Freiheit und Tätigkeit versetzt, läßt es ihn auf Momente das Ziel der Menschheit erreichen und macht ihn fähiger, sich ihm „auf dem Wege der Vernunft und der Freiheit" zu nähern.

Dazu kommt als zweites, daß das Idealschöne ihm dieses Ziel immer von neuem erreicht zeigt. Das Idealschöne, das der Spieltrieb zu schaffen sucht, ein Imperativ, kein Erfahrungsbegriff, ist für Schiller ein Symbol des Menschlich-Vollkommenen. Wie sich in der idealen Menschheit die restlose organische Verbindung von Sinnlichkeit und Vernunft vollzogen hat, so besteht das Idealschöne in der völligen Harmonie zwischen Stoff und Form. Jeder Gegensatz, jeder Kampf und Krampf ist geschwunden:

„Aber dringt bis in der Schönheit Sphäre,
Und im Staube bleibt die Schwere
Mit dem Stoff, den sie beherrscht, zurück.
Nicht der Masse qualvoll abgerungen,
Schlank und leicht, wie aus dem Nichts entsprungen,
Steht das Bild vor dem entzückten Blick.
Alle Zweifel, alle Kämpfe schweigen
In des Sieges hoher Sicherheit,
Ausgestoßen hat es jeden Zeugen
Menschlicher Bedürftigkeit."

wie es im „Reich der Schatten" heißt.

Den Anblick also des errungenen Sieges, des, trotzdem es in nebelweiter Ferne zu liegen scheint, doch erreichten Zieles, gönnt die Kunst dem Menschen immer von neuem. So ermutigt sie ihn, trotz aller Schwierigkeiten, trotzdem sich schier unüberwindliche Schranken aufzutürmen scheinen, nicht zu erlahmen:

„Nicht vom Kampf die Glieder zu entstricken,
Den Erschöpften zu erquicken,
Wehet hier des Sieges duftger Kranz.
Mächtig selbst, wenn Eure Sehnen ruhten,
Reißt das Schicksal Euch in seine Fluten,
Euch die Zeit in ihren Wirbeltanz.
Aber sinkt des Mutes kühner Flügel,
Bei der Schranken peinlichem Gefühl,
Dann erblicket von der Schönheit Hügel,
Freudig das erflogene Ziel.“

Hier tritt uns unmittelbar der lebenerhaltende Charakter der Wirkung der Kunst entgegen. Sie läßt den Menschen nicht verzagen und nicht verzweifeln, sondern spornt ihn zu immer neuer Anstrengung. Und sie macht ihm das Leben leichter, indem sie ihm in der Welt der Kämpfe, des Schreckens und des Todes, in der Welt des Genusses und der Begierde, die im Genusse stirbt, in der Welt der Bedürftigkeit und Enge eine Freistatt eröffnet, in der er alle Spuren menschlicher Bedrängnis ausgelöscht findet, eben jenes Schattenreich der Schönheit.

In voller Reinheit wird diese Wirkung nun nur von dem Idealschönen erzielt, der denkbar höchsten Form der Kunst. Sie bekommt, abgesehen davon, daß die Harmonie von Stoff und Form in ihr vollkommen ist, noch einen besonderen Charakter dadurch, daß auch der Stoff, der Gegenstand, der Vorwurf, oder wie man sagen will, den sie behandelt, der Idee der Menschheit entspricht. „Frei von allen Erdenmalen wandle hier der Menschheit Götterbild." Das dichterische Kunstwerk, das dieser Forderung genügen würde, ist für Schiller die Idylle. Er hat sich eine Zeitlang mit dem Gedanken getragen, eine solche Idylle zu schreiben, die da fortfahren sollte, wo das Reich der Schatten aufhört. Die Vermählung des Herkules mit Hebe sollte den Inhalt bilden. „Denken Sie sich den Genuß, lieber Freund," schreibt er an Wilhelm von Humboldt, „in einer poetischen Darstellung, alles Sterbliche ausgelöscht, lauter Licht, lauter Freiheit, lauter Vermögen, — keine Schatten, keine Schranke, nichts von dem allen mehr zu sehen — mir schwindelt ordentlich, wenn ich an diese Aufgabe, wenn ich an die Möglichkeit ihrer Auflösung denke." Es ist die tiefe Sehnsucht nach der Verwirklichung des Ideals, wenn auch nur im Spiel der Kunst, die uns aus diesen Worten entgegentönt. Und zugleich schwingt eine leise elegische Stimmung mit, erwachsen aus dem tiefen Ungenügen an der wirklichen Welt. Eine Stimmung, die Schiller nicht fremd war, mochte er sonst auch einer der tapfersten und unermüdlichsten Kämpfer sein, die je den Kampf mit dem Leben aufgenommen haben. Jene Idylle ist nicht geschrieben worden, für die das Reich der Schatten die Regeln aufstellt. Denn das Idealschöne, dessen Wesen uns nunmehr noch klarer geworden sein wird, ist seinem Charakter nach nur Idee und als solche unrealisierbar. Darüber ist sich auch Schiller nicht im unklaren. Er bezeichnet das Idealschöne selbst nicht als einen Erfahrungsbegriff, sondern als einen Imperativ, ein Ziel, dem nachzueifern ist.

Da erhebt sich nun die Frage: Wie stellt sich die reale Schönheit, „das Schöne der Erfahrung", das heißt die Kunst, so, wie sie sich uns bietet, so, wie sie erreichbar ist und wie sie erreicht worden ist, zum Idealschönen und seiner Wirkung? Die Antwort ergibt sich aus dem bisher Gesagten ohne weiteres. Da das Schöne der Erfahrung, wenn man so sagen will, die Vorstufe zum Idealschönen bildet, ihm also wesensgleich, nicht wesensungleich ist, so hat es teil an der Wirkung des Idealschönen. Es löst also auch jene allgemeinste Wirkung der Kunst aus, wenn auch nicht in derselben absoluten Reinheit und derselben Stärke. Daneben aber hat es bestimmter nuancierte Wirkungen, entsprechend seinem besonderen Charakter. Damit kommen wir zu jener spezielleren, für die ästhetische Erziehung besonders bedeutsamen Wirkung der Kunst, auf die oben hingewiesen wurde.

Da das Schöne der Erfahrung ebenso wie die wirkliche Menschheit dem Ideal nicht entspricht, wird sich auch in ihm wie in dieser eine doppelte Abweichung von der Idee erkennen lassen. Der „möglichst vollkommene Bund und das Gleichgewicht zwischen Realität und Form" wird von der Wirklichkeit nie ganz erreicht werden. „In der Wirklichkeit," sagt Schiller, „wird immer ein Uebergewicht des einen Elementes über das andere übrig bleiben." Es wird bald die Realität, bald die Form überwiegen. Danach unterscheidet Schiller zwischen einer schmelzenden und einer energischen Schönheit. Eine Einteilung, der auf dem Gebiete der redenden Künste die zwischen naiver und sentimentalischer Dichtung im allgemeinen entspricht. In der naiven überwiegt die Form, in der sentimentalischen der Stoff, das heißt der Ideengehalt. Die schmelzende Schönheit hat die Aufgabe, den „angespannten Menschen", das heißt den, der unter der einseitigen Herrschaft des Form- oder Sachtriebes steht, von dieser Anspannung zu befreien, ihm die freie Verfügung über alle seine Kräfte wiederzugeben. Das gelingt am ehesten dem Kunstwerk, in dem die Form den Stoff völlig überwältigt hat, in dem dieser sich nicht hervordrängt; einem Kunstwerk, das uns nur durch seine lebendige Gegenwart rührt, nicht aber durch bestimmte Ideen. Eben das tut das Werk des naiven Dichters, die schmelzende Schönheit. Daher ist ihre Wirkung in der Hauptsache der oben geschilderten des Schönen überhaupt am ähnlichsten, ohne sie doch völlig zu erschöpfen. Denn das Idealschöne, wie wir sahen, hat nicht nur die Befreiung vom Zwange, sondern auch die Hebung, Ermutigung, Stärkung der menschlichen Kräfte zum Ziele. Eben dieses ist nun im besonderen die Aufgabe der energischen Schönheit, der sentimentalischen Dichtung, und in ihr vor allem des pathetischen Kunstwerkes, der Tragödie.

Damit treten wir in den eigensten Bereich Schillerschen Wirkens.

Da ist es denn von der größten Bedeutung für die Erkenntnis der Lebensanschauung Schillers, wozu uns ja die Frage nach der Erziehung der Menschheit dienen soll, daß er die energische Schönheit als die dem gegenwärtigen Zeitalter notwendige betrachtet hat. Das kann an sich nicht wundernehmen. Wir sahen schon im zweiten Kapitel, daß er die Kultur seiner Zeit kritisierend in der allgemeinen Schwäche des Trieblebens das für die Gegenwart besonders charakteristische Merkmal des Verfalles fand. Dem entspricht es nur, wenn er als die der Gegenwart gemäße Form der Kunst die die Kräfte anspannende, das ganze Innere des Menschen erregende betrachtet. Es handelt sich also zunächst darum, den Willen überhaupt zu stärken. Bis zu einem gewissen Grade ist das auch die Wirkung der schmelzenden Schönheit. Indem diese die Hindernisse wegräumt, die Ketten bricht, in die die Triebe den Menschen geschlagen haben, schafft sie dem Willen freie Bahn. Denn das ist die Schiller eigentümliche Vorstellung, daß der Wille gewissermaßen zwischen den Trieben steht. Nichts wäre verkehrter, als zu meinen, daß er in der Summation der Triebe den Willen gesehen habe. Es läge nicht allzu fern, das zu vermuten. Der Wille aber ist ihm metaphysischen Ursprungs. In seiner absoluten Freiheit, sich allein aus sich selbst nach vernunftgemäßer Einsicht zu bestimmen, offenbart sich ihm, wie wir sahen, die Zugehörigkeit des Menschen zu einer intelligiblen Welt. Den Willen frei machen nun heißt ihn stärken. Man fühlt sich an die Worte Nietzsches erinnert: „Ach, wenn Ihr mein Wort verstündet: tut immerhin, was Ihr wollt, aber seid mir erst solche, die wollen können." Die energische Schönheit aber hat eine darüber hinausgehende Wirkung. Gilt es hier zunächst, den Menschen aus dem Zustande der Erschlaffung, der Abspannung herauszureißen, ihn mit neuem Leben zu erfüllen, so gilt es außerdem, auch dem Willen eine bestimmte Richtung zu geben, wenn auch nur allgemeinster Art, wodurch denn freilich die Wirkung der energischen Schönheit den Charakter einer rein ästhetischen Wirkung verliert.

9*

Welcher Art nun diese Wirkung nach Schillers Auffassung sein soll, das erfahren wir auf das genaueste aus der Abhandlung „Ueber das Erhabene". Da heißt es: „Das Pathetische ist ein künstliches Unglück, und wie das wahre Unglück setzt es uns in unmittelbaren Verkehr mit dem Geistergesetz, das in unserem Busen gebietet. Aber das wahre Unglück wählt seinen Mann und seine Zeit nicht immer gut; es überrascht uns oft wehrlos und, was noch schlimmer ist, es macht uns oft wehrlos. Das künstliche Unglück, das pathetische, hingegen findet uns in voller Rüstung, und weil es bloß eingebildet ist, so gewinnt das selbständige Prinzipium in unserem Gemüte Raum, seine absolute Independenz zu behaupten. Je öfter nun der Geist diesen Akt der Selbsttätigkeit erneuert, desto mehr wird ihm dieselbe zur Fertigkeit, einen um so größeren Vorsprung gewinnt er vor dem sinnlichen Trieb, so daß er endlich auch dann, wenn aus dem eingebildeten und künstlichen Unglück ein ernsthaftes wird, imstande ist, es als ein künstliches zu behandeln, und, der höchste Schwung der Natur! das wirkliche Leiden in eine erhabene Rührung aufzulösen. Das Pathetische, kann man daher sagen, ist eine Inokulation des unvermeidlichen Schicksals, wodurch es seiner Bösartigkeit beraubt, und der Angriff desselben auf die starke Seite des Menschen hingeleitet wird."

Worauf es ankommt, ist also, dem Willen, dem ganzen geistigen Wesen des Menschen die Richtung zu geben des Widerstandes gegen die Schmerzen, die das Leben uns auferlegt. Darum fließt in der Religion der Schönheit, wie es im Reich der Schatten heißt, keine

Träne mehr dem Leiden, „sondern nur des Geistes tapfrer Gegenwehr". Und darum gilt es, ein Ende zu machen mit allen Vorstellungen, deren Zweck es nur ist, das wahre Antlitz der Dinge zu verhüllen.

„Also hinweg", ruft daher Schiller aus, „mit der falsch verstandenen Schonung und dem schlaffen, verzärtelten Geschmack, der über das ernste Angesicht der Notwendigkeit einen Schleier wirft und, um sich bei den Sinnen in Gunst zu setzen, eine Harmonie zwischen dem Wohlsein und Wohlverhalten lügt, wovon sich in der wirklichen Welt keine Spuren zeigen. Stirne gegen Stirne zeige sich uns das böse Verhängnis. Nicht in der Unwissenheit der uns umlagernden Gefahren — denn diese muß doch endlich aufhören —, nur in der Bekanntschaft mit denselben ist Heil für uns. Zu dieser Bekanntschaft nun verhilft uns das furchtbar herrliche Schauspiel der alles zerstörenden und wieder erschaffenden und wieder zerstörenden Veränderung, des bald langsam untergrabenden, bald schnell überfallenden Verderbens, verhelfen uns die pathetischen Gemälde der mit dem Schicksal ringenden Menschheit, der unaufhaltsamen Flucht des Glücks, der betrogenen Sicherheit, der triumphierenden Ungerechtigkeit und der unterliegenden Unschuld, welche die Geschichte in reichem Maße aufstellt, und die tragische Kunst nachahmend vor unsere Augen bringt."

Versuchen wir es, die Bedeutung dieser Sätze in ihrer ganzen Tiefe zu erfassen. Denn erst dann verstehen wir völlig, was es heißt, dem Willen die Richtung geben des Widerstandes gegen das Schicksal. Es heißt nichts anderes, als ihn gewöhnen an den tragischen Aspekt der Welt, dem die europäische

Menschheit sich vermittelst ihrer Religionssysteme zu entziehen bisher immer bestrebt gewesen ist. Da wird das Leiden begriffen als Strafe oder als Mittel zur Läuterung und damit vernünftigt. Da wird Glück betrachtet als Lohn für gutes Verhalten. Da steht als Entschädigung für allen Jammer im Diesseits die Seligkeit im Jenseits. Da wird schließlich das ganze Dasein auf dieser Erde verurteilt und bekommt Sinn, Zweck und Bedeutung nur durch das jenseitige Leben: im Jenseits allein liegt seine Rechtfertigung. Gegen die ganze Summe dieser Anschauungen wendet sich Schiller in obigen Sätzen. Wie ihm der Glaube an die Unsterblichkeit als Ausfluß der Begierde nach ewig währendem Dasein und Wohlsein verächtlich erschien, so sieht er hier in der Verschleierung der Furchtbarkeit des Lebens nur einen Betrug, unternommen, um den Sinnen zu schmeicheln. Es gibt keine absolute Beziehung zwischen Glück und Verdienst, zwischen Leiden und Schuld. Die Unschuld unterliegt, die Ungerechtigkeit triumphiert, und niemand darf sich in Sicherheit wiegen. Je sicherer er sich wähnt, um so eher wird er betrogen. Bald überfällt ihn das Verderben schnell und plötzlich, bald untergräbt es langsam den Boden, auf dem er steht. Und es gibt keine Rechtfertigung des Daseins durch überweltliche Beziehungen. Was sich allein unseren Augen darbietet, ist das „furchtbar herrliche Schauspiel der alles zerstörenden und wieder erschaffenden Veränderung". Ein zweckloses Spiel von Kräften also, die aufbauen, um zu zerstören, und zerstören, um wieder aufzubauen. Und unter ihnen, ihnen schutzlos preisgegeben, der Mensch. Ihm bleibt keine Möglichkeit der Flucht, kein Weg zur Rettung: „Alle

Wege, die zum Leben führen, alle führen ins gewisse Grab", nur eine Zufluchtsstätte ist ihm offen, wie wir sahen, die Welt der Ideen, die Welt des schönen Scheines:

„Nur der Körper eignet jenen Mächten,
Die das dunkle Schicksal flechten,
Aber frei von jeder Zeitgewalt,
Die Gespielin seliger Naturen,
Wandelt oben in des Lichtes Fluren,
Göttlich unter Göttern die Gestalt."

Aber diese Freistatt öffnet sich nur für Momente. Sie entläßt wohl auch den Menschen ermutigt und gestärkt zu neuen Kämpfen mit dem Leben. Um ihm aber in ihnen dauernd den Sieg zu geben, ihn niemals Gewalt erleiden zu lassen, dazu bedarf es der Erweckung der höchsten geistigen Kraft des Menschen. Es gilt, ihn Stirn an Stirn, wie Schiller sagt, dem bösen Verhängnis gegenüberzustellen, ihn das Unvermeidliche als unvermeidlich, das Notwendige als notwendig erkennen zu lassen, auf daß er sich im höchsten Aufschwunge über es erhebe, indem er sich ihm freiwillig unterwirft, so sich alles Zwanges entledigend, selbst bis zu dem bittersten des Todes. Dazu soll ihm die tragische Kunst verhelfen.

Hier nun haben wir den Punkt erreicht, auf den oben hingewiesen wurde, den, an dem sich Schiller und Nietzsche in ihrer Auffassung der Erziehung der Menschen zum Ideal des Uebermenschen unmittelbar berühren.

Die Erinnerung an Nietzsches Kunstanschauungen, soweit wir sie bisher kennen gelernt haben, wird sich jedem aufgedrängt haben. Denn trotz der metaphysischen Verhüllung, in der Nietzsche in jener ersten Periode die Dinge sah, konnten wir doch unschwer erkennen, welche allgemeinen Wirkungen er von der Kunst erwartete. Gedankenanklänge ganz unmittelbarer Art aber finden sich auch schon innerhalb dieser Sphäre. So ist, um nur dies hervorzuheben, die Vorstellung, daß die Wagnersche Kunst mit ihrer Vereinigung des Apollinischen und Dionysischen ein Abbild darstellt der Welt als Wille und Vorstellung, ein künstlerisches Gleichnis also für die zu erstrebende innere Einheit des Menschen, ganz analog der Idee Schillers, daß das Idealschöne ein Symbol ist des menschlich Vollkommenen. Im Laufe seiner Entwicklung hat nun Nietzsche wie überhaupt, so auch in bezug auf die Kunst, alle jene romantisch-metaphysischen Vorstellungen abgestreift. In seiner positivistischen Epoche bedauert er dementsprechend, daß die Künstler aller Zeiten, wie er sagt, „in ihrem höchsten Aufschwunge gerade jene Vorstellungen zu einer himmlischen Verklärung hinaufgetragen haben, welche wir jetzt als falsch erkennen: sie sind die Verherrlicher der religiös-philosophischen Irrtümer der Menschheit". Und gemäß der vorherrschend negativen Richtung dieser Epoche ersehnt er eine Kunst, deren Hauptmerkmal eben die Freiheit von jener moralischen Infektion wäre, „deren seltenster Zauber", wie er noch in Jenseits von Gut und Böse sagt, „darin bestünde, daß sie von Gut und Böse nichts mehr wüßte, nur daß vielleicht irgendein Schifferheimweh, irgendwelche goldene Schatten und zärtliche Schwächen hier und da über sie hinwegliefen: eine Kunst, welche von großer Ferne her die Farben einer untergehenden, fast unverständlich gewordenen moralischen Welt zu sich flüchten sähe, und die gastfreundlich und tief genug zum Empfang solcher späten Flüchtlinge wäre". — In der Zeit der Reife aber erfaßt er von neuem die Kunst in ihrer ganzen lebensteigernden Bedeutung, damit zu den Ideen seiner Jugend zurückkehrend. Und wie er damals sein Hauptinteresse der Tragödie zuwandte, so sieht er auch jetzt vornehmlich in der Tragödie großen Stiles das Kunstwerk, das in erster Linie der Erziehung der Menschheit zu dienen hat, das Kunstwerk, dessen die Gegenwart bedarf, wie keines anderen. Und wie er hierin mit Schiller übereinstimmt, so sieht er die Wirkung der Tragödie ganz in dem Lichte, in dem Schiller sie gesehen hat.

Konnten uns Schillers Ausführungen schon an die Worte Nietzsches aus der „Geburt der Tragödie" erinnern, in die er den tieferen Sinn der Prometheus-Sage zusammenfaßte: „Alles Vorhandene ist gerecht und ungerecht, und in beidem gleichberechtigt", so decken sich seine letzten Aeußerungen über die tragische Kunst völlig mit denen Schillers. „Nicht um von Schrecken und Mitleiden loszukommen," heißt es in der Götzendämmerung, „nicht um sich von einem gefährlichen Affekt durch dessen vehemente Entladung zu reinigen — so verstand es Aristoteles —, sondern um über Schrecken und Mitleid hinaus die ewige Lust des Werdens selbst zu sein, jene Lust, die auch noch die Lust am Vernichten in sich schließt." Daher bezeichnet er an einer anderen Stelle die Tragödie als ein Tonikum, das heißt als ein Mittel zur Stärkung des Willens bis zu einem Zustande rauschartiger Kraftsteigerung, und darum nennt er die tragische Kunst „die einzig überlegene Gegenkraft gegen allen

Willen zur Verneinung des Lebens, das Antichristliche, Antibuddhistische, Antinihilistische par excellence“ und charakterisiert näher die Kunst „als die Erlösung des Erkennenden, dessen, der den furchtbaren und fragwürdigen Charakter des Daseins sieht, sehen will, des tragisch Erkennenden. — Als die Erlösung des Handelnden — dessen, der den furchtbaren und fragwürdigen Charakter des Daseins nicht nur sieht, sondern lebt, leben will, des tragisch-kriegerischen Menschen, des Helden“ und schließlich als „die Erlösung des Leidenden, als Weg zu Zuständen, wo das Leiden gewollt, erklärt, vergöttlicht wird, wo das Leiden eine Form der großen Entzückung ist“. Es bedarf keines Wortes dazu, daß alle diese Gedanken in den Schillerschen Sätzen, die wir oben wiedergegeben haben, teils deutlich ausgesprochen, teils im Keime enthalten sind. Schließlich begreift sie die Schillersche Erklärung des Pathetischen als einer Inokulation des Schicksals alle in sich.

Neben die tragische Kunst tritt nun für Nietzsche als die in zweiter Linie zu fordernde und zu fördernde jene, deren Himmel klar und hell, deren Formen frei und leicht, deren ganzes Wesen erfüllt ist vom lebenspendenden und erquickenden Atem des Südens: die Kunst, die den Menschen erheitert, sein Blut rascher durch die Adern fließen läßt, die das Schwere verbannt, das Düstere verdrängt, und die Menschen das Leben lieben läßt. Bizets Carmen schien ihm für diese Art Kunst typisch oder besser gesagt wegweisend zu sein. Es leuchtet ohne weiteres ein, daß wir hier die Analogie zu suchen haben, zu Schillers schmelzender Schönheit, die den Menschen befreit vom Druck und Drang des täglichen Lebens, die die Spannung löst und ihm damit die Verfügung über seine Kräfte wiedergibt. Wenn man die Schilderung liest, die Nietzsche von der Wirkung der Bizetschen Musik entwirft, so glaubt man nichts anderes zu hören, als die Schillersche Definition der ästhetischen Wirkung in Nietzsches Sprache übersetzt: „Hat man bemerkt, daß die Musik den Geist frei macht? Dem Gedanken Flügel gibt? Daß man um so mehr Philosoph wird, je mehr man Musiker wird? Der graue Himmel der Abstraktion wie von Blitzen durchzuckt; das Licht stark genug für alles Filigran der Dinge; die großen Probleme nahe zum Greifen; die Welt wie von einem Berge aus überblickt." Diese hohe Freiheit und Rüstigkeit des Geistes — den großen Problemen nicht minder nahe, als der sinnlichen Erfassung der Dinge — ist die Stimmung, in der uns nach Schiller ein echtes Kunstwerk entlassen soll.

Als ein rechtes Gegenspiel dieser lebenerhaltenden, lebensteigernden Kunst, die er im Sinne hat, wenn er ausruft: „Die Kunst und nichts als die Kunst! Sie ist die größte Ermöglicherin des Lebens, die große Verführerin zum Leben, das große Stimulans des Lebens", erschien Nietzsche nun jede Kunst, die darauf ausgeht, das Leben zu entwerten, ihm überirdische Werte gegenüberstellend. In diesem Lichte sieht er seit dem Momente seiner Befreiung die vom Schopenhauerschen Geiste erfüllte Wagnersche Kunst und richtet daher ihrer Größe entsprechend seine schärfsten Angriffe gegen sie. Auch für Schiller gibt es eine Art der Kunst, die zu bekämpfen ist. Sollten wir noch im Zweifel darüber sein, ob Schiller wirklich die Kunst als im Dienste der Lebenserhaltung und -steigerung stehend angesehen hat, so gibt uns gerade dieser Punkt darüber die bündigste Auskunft.

Die Abirrung von der wahren Kunst muß nach Schillers ganzem System eine doppelte sein. Wie der Mensch die Idee der Menschheit auf eine doppelte Weise verfehlen kann, dadurch nämlich, daß er entweder nach der geistigen oder nach der sinnlichen Seite ausschweift, so kann auch die Kunst abirren, entweder dadurch, daß sie den Boden der Realität unter den Füßen verliert, mit „dem Weltstoff", wie Schiller sagt, „nur spielt, nur durch phantastische, bizarre Kombinationen zu überraschen sucht" oder dadurch, daß sie sich damit begnügt, die Wirklichkeit realistisch wiederzugeben.

Man könnte zweifelhaft sein, welche Art bedenklicher ist. Es ist zu bedauern, daß sich Schiller gerade über die erste nicht ausführlicher ausgelassen hat. Er bemerkt nur, daß ein Künstler, der so verfährt, „wie sein ganzes Tun nur Schaum und Schein ist", wohl „für den Augenblick unterhalten, aber im Gemüt nichts erbauen und begründen" wird. Nehmen wir aber dazu, was Schiller über die noch unter der Herrschaft der Sinnlichkeit stehende ausschweifende Vernunft, die z. B. zum persönlichen Unsterblichkeitsglauben führt, sagt, so können wir vielleicht vermuten, daß jede metaphysisch gefärbte Kunst für ihn unter diese Gattung gefallen wäre. Mag dem nun sein, wie ihm will, stärker wurde jedenfalls Schillers Interesse in Anspruch genommen durch die zweite Art der Abirrung vom Ideal, durch den platten Naturalismus. Ihm, meinte er, müsse offen und ehrlich der Krieg erklärt werden. Dazu soll ihm als letzter entscheidender Schritt die

Einführung des Chores in die Tragödie dienen, den er als eine lebendige Mauer bezeichnet, die die Tragödie um sich herumzieht, um sich von der wirklichen Welt rein abzuschließen und sich ihren idealen Boden, ihre poetische Freiheit zu bewahren. Denn der Chor in der Tragödie würde vollends, was zum Teil schon die metrische Sprache tut, die Illusion zerstören, das heißt, den Eindruck, nach dem man gemeinhin und heut vielleicht mehr als je verlangt, daß das, was auf der Bühne vor sich geht, nicht nur Spiel, sondern Wirklichkeit sei. Eine solche Wirkung, falls sie zu erzielen wäre, ist für Schiller nichts als „ein armseliger Gauklerbetrug". Dem Zwecke der Kunst würde sie direkt widersprechen. Und das aus einem doppelten Grunde.

Einmal würde eine solche Kunst nach Schillers Meinung immer nur ein Abbild der wirklichen Welt, nie aber der wahren Welt, das heißt nur einen Ausschnitt aus dem Leben, der an sich immer zufälligen und unvollständigen Charakters sein muß, nie aber ein Bild des Lebens überhaupt geben. Das aber ist die Aufgabe der Kunst: „Den Geist des Alls zu ergreifen und in einer körperlichen Form zu binden." Dieser kann sie nur gerecht werden, wenn sie zufällige Einzelerscheinungen zu typischen macht, ihnen allgemein gültigen Charakter verleiht, wenn, wie Schiller sich ausdrückt, ihr Werk in allen seinen Teilen ideell ist, daher der Künstler kein einziges Element aus der Wirklichkeit brauchen könne, wie er es findet. Die Kunst also, die sich an die zufällige Wirklichkeit klammert, kann dieser Aufgabe nicht gerecht werden und damit bringt sie sich auch um die Wirkung, um derentwillen die Kunst diese Aufgabe lösen soll. Denn der Anblick eines solchen Kunstwerkes wirkt niederdrückend und verdüsternd. Das ist der zweite und Hauptpunkt. Die Stimmung, in der uns ein solcher Künstler entläßt, ist, wie Schiller sagt, zwar ernst, doch unerfreulich. Der Anblick des Leidens als eines zufällig den einzelnen treffenden und als eines realen wirkt peinlich. Er erhebt nur, wenn das Leiden begriffen wird als notwendig und allgemein und im Anblick der Tragödie als Schein, nicht als Realität. So vertieft es sich zwar und wächst zu furchtbarer Größe, läßt aber dem Gemüte die Freiheit, sich über es zu erheben. Das Leiden selbst wird zur Quelle der Lust, zur Quelle des höchsten Genusses, der nach Schiller besteht „in der Freiheit des Gemüts im lebendigen Spiel aller seiner Kräfte". Und erst damit wird die Tragödie der Aufgabe der Kunst gerecht. Denn wie Schiller das in unnachahmlicher Einfachheit ausgesprochen hat, „alle Kunst ist der Freude gewidmet".

Damit dient sie dem Leben, damit wirkt sie zur Erhaltung nicht nur, sondern zur Steigerung aller Lebenskräfte. Denn niemals darf der Genuß, den sie bereitet, aufgefaßt werden als weichlich bequemes Genießen, nie die Zufluchtsstätte, die das Reich der Schatten uns bieten soll, im Sinne eines dauernden Refugiums, in das der Matte, Müde und Verzagte, der den Kampf mit dem Leben aufgibt, sich flüchtet. Das geht schon aus dem Gesagten zur Genüge hervor, mag aber hier nochmals betont werden. Es findet sich bei Nietzsche eine Aeußerung, die fast vermuten läßt, daß er das Schillersche Reich der Schatten in diesem Lichte gesehen hat. Es heißt da: „Die Künstler der décadence, welche im Grunde nihilistisch zum Leben stehen, flüchten in die Schönheit der Form, in die ausgewählten Dinge, wo die Natur vollkommen wird, wo sie indifferent groß und schön ist." Sollte Nietzsche bei dieser Bemerkung an Schiller gedacht haben, so würde er ihn völlig mißverstanden haben. „Nicht vom Kampf die Glieder zu entstricken, den Erschöpften zu erquicken, wehet hier des Sieges duft'ger Kranz", heißt es ausdrücklich im Reich der Schatten.

Nehmen wir alles zusammen, so können wir zweifellos eine völlige Uebereinstimmung zwischen Schiller und Nietzsche feststellen, soweit es sich um die Frage handelt, welche Rolle der Kunst in der Erziehung der Menschheit zum Uebermenschen zufallen soll. Nietzsche ist hier kaum einen Schritt weit über Schiller hinausgekommen. Daß er dieses Verhältnis nicht gesehen hat, ja die Bande, die ihn hier unmittelbar mit Schiller verbinden, nicht einmal geahnt zu haben scheint, läßt sich nur daraus erklären, daß er aus einer anderen Welt kam, der Schopenhauerschen, in deren Bann er zustimmend oder verneinend bis ans Ende geblieben ist. Auf die Schopenhauersche Auffassung der Kunst als einer lebenverneinenden, zur Verneinung des Daseins verführenden bleibt sein Blick beständig gerichtet. Gegen sie wendet er sich immer von neuem. Daß Schopenhauers Anschauung nur einen Rückschritt bedeutete gegenüber einer längst vor ihm in aller Klarheit und Tiefe dargelegten, nicht nur die negative Seite — die Befreiung von der Begierde —, sondern auch die aktive umfassenden, das übersah er dabei. Er hätte nur nötig gehabt, über Schopenhauer auf Schiller zurückzugehen, um das zu finden, was er suchte.

Berühren sich also Schiller und Nietzsche hier unmittelbar, so weist auch das Ganze ihrer Anschauungen über die Erziehung der Menschheit in dieselbe Richtung. Alle Ideen Nietzsches laufen darauf hinaus, den Menschen ganz auf sich selbst gestellt dem furchtbaren Antlitz der entgotteten Natur gegenüberzustellen und gerade dadurch die lebendigsten und höchsten Kräfte in ihm zu wecken. Eben das ist im tiefsten Grunde auch die Absicht Schillers. Seine Erklärung des Pathetischen und des Zweckes der Tragödie gab uns darüber unmittelbaren Aufschluß. Damit aber eröffnet sich uns der freie Einblick in das Reich der Kultur, als deren Verkünder Schiller wie Nietzsche zu betrachten sind, in das wir bisher nur wie im Vorübergehen durch Lücken in der umzäunenden Hecke einen Blick tun konnten, in das Reich der tragischen Kultur.

V.

Die tragische Kultur.

Versteht man unter Kultur nicht sowohl die Summe materieller Errungenschaften, die einem Volke eine bestimmte Form und Höhe der Lebenshaltung ermöglichen, als vielmehr etwas Innerliches, also den Komplex geistig-sittlicher Anschauungen, einen bestimmten Grad der Entfaltung des seelischen Lebens der Menschen — und in diesem Sinne haben Schiller wie Nietzsche das Wort Kultur immer gebraucht —, so bildet die Grundlage jeder Kultur die Stellung des Menschen zu den höchsten Problemen. Von der Art, wie er sich die großen Fragen, die das Leben ihm stellt, beantwortet, hängt alles andere ab. Sie ist entscheidend für Duft, Farbe und Stimmung des Menschenlebens, für das Licht, in dem er die Dinge der Welt und sich selbst sieht. An diesem Punkte haben wir also auch die Basis der tragischen Kultur zu suchen.

Sie besteht, wie uns nach allem, was wir erfahren haben, nun nicht mehr zweifelhaft sein kann, in der Befreiung des Menschen von allen überweltlichen Mächten.

Je entscheidender dieser Punkt ist, um so notwendiger ist es, uns noch einmal und nun nicht mehr gleichsam im Vorübergehen, sondern unsere volle Aufmerksamkeit ihm widmend, klar darüber zu werden, wieweit Schiller und Nietzsche hier etwa noch auseinandergehen und wieweit sie zusammenstimmen.

Man wird immer geneigt sein, einen fundamentalen Unterschied zwischen Schiller und Nietzsche daraus zu konstruieren, daß Schiller an der Vorstellung einer intelligiblen Welt und dementsprechend an der absoluten Moral festhält. In der Tat scheint hier ein nicht zu übersehender und nicht genug zu betonender Unterschied zu liegen. Sehen wir uns aber diese Vorstellung Schillers näher auf ihren Charakter hin an, so werden wir erkennen, daß gerade in ihr sich die Freistellung der Persönlichkeit vom Einfluß aller überweltlichen Mächte am stärksten ausspricht.

Schiller sieht allerdings das Wesen des Menschen mit Kant darin, daß er einer neben der Welt der Erfahrung bestehenden Welt absoluter, uns unzugänglicher Erkenntnis, einer intelligiblen Welt, angehört. Und zwar vermöge des Willens ihr angehört, der damit als die den Menschen eigentümliche, jenseits der Erkenntnistätigkeit liegende Urkraft erscheint. Der Wille an sich frei, fähig, sich aus sich selbst zu bestimmen, ist für Schiller demnach ein überweltliches Vermögen. Er stellt, wie schon oben bemerkt, nicht etwa eine Summation der Triebe dar, sondern steht zwischen ihnen als freie und unbegrenzte Fähigkeit. Und ebenso ist für Schiller das regulative Prinzip dieses freien Willens, das Sittengesetz, übersinnlichen Ursprungs. Dieses Sittengesetz, das den Menschen nicht zwingt, das ihm niemals sagt: du mußt, wohl aber: du sollst, das heißt du handelst nur deiner Idee entsprechend, wenn du mir folgst. Kant hat es bekanntlich in die Formel gebracht: „Handle so, daß die Maxime deines Willens jederzeit zugleich als Prinzip einer allgemeinen Gesetzgebung gelten könne." Für Schiller sind es außerdem besonders zwei Begriffe, denen er übersinnlichen Ursprung vindiziert, deren Entstehung aus der Erfahrung ihm gänzlich unbegreiflich erscheint, daher sie denn absoluten Charakter bekommen: die beiden Begriffe Wahrheit und Recht. „Unentfliehbar, unverfälschbar, unbegreiflich", ruft er aus, „eine Theophanie, wenn es jemals eine gab, stellen die Begriffe von Wahrheit und Recht schon im Alter der Sinnlichkeit sich dar, und ohne daß man zu sagen wüßte, woher und wie es entstand, bemerkt man das Ewige in der Zeit und das Notwendige im Gefolge des Zufalls." „Eine Theophanie, wenn es jemals eine gab", das heißt eine Erscheinung des Göttlichen, nicht etwa eine Offenbarung des persönlichen Gottes, wie mancher anzunehmen geneigt sein könnte, namentlich der, dem aus irgendeinem Grunde daran liegt, die positive Gottgläubigkeit Schillers nachzuweisen. Und es gibt viele, denen daran liegt. Schiller selbst aber läßt keinen Zweifel darüber, wie wir ihn zu verstehen haben. Der freie Wille, wie das Sittengesetz, gehören für ihn zum Geschlechtscharakter des Menschen, sind aber keineswegs Geschenke oder Gebote eines Gottes. Nähme der Mensch das an, und er hat es angenommen, so verscherzte er damit, wie sich Schiller ausdrückt, seine Menschheit. „Wie er in der Erklärung einzelner Naturphänomene" sagt er, „über die Natur hinausschreitet und außerhalb derselben sucht, was nur in ihrer inneren Gesetzmäßigkeit kann gefunden werden, ebenso schreitet er in der Erklärung des Sittlichen über seine Vernunft hinaus und verscherzt seine Menschheit, indem er auf diesem Wege eine Gottheit sucht." Solange er das tut, ahnt er nicht „die Würde des Gesetzgebers in sich". Er empfindet sich abhängig vom Zwange, er fühlt sich als Untertan. Er hat noch nicht erfaßt, daß nicht eine fremde, unfaßbare, unendlich über ihm erhabene Gewalt, sondern seine eigene Vernunft ihm das Gesetz gibt. Er hat noch nicht erkannt, um es mit einem fast blasphemisch klingenden Worte auszusprechen, daß er selbst Gott ist. Ich erinnere mich, irgendwo einmal gelesen zu haben, daß die letzte Gabe der Weisheit, die die Brahmanen zu vergeben haben, in der Erweckung eben dieser Erkenntnis besteht. So würden Okzident und Orient sich berühren. Der Mensch Gott, wunderlich freilich verstrickt in die Fesseln der Erscheinungswelt und ohne Aussicht, sich jemals völlig von ihr zu befreien. Denn die Erhebung des Herkules in den Olymp — „bis der Gott des Irdischen entkleidet, flammend sich vom Menschen scheidet und des Aethers leichte Lüfte trinkt" —, mit der „das Reich der Schatten" schließt, ist nichts als eine entzückende Vision.

Vergleichen wir mit dieser Anschauung die Nietzsches, so ergibt sich ohne weiteres, trotz der sich in ihr aussprechenden unbedingten Freistellung der Persönlichkeit, daß der Nietzsche der mittleren Periode im allerschärfsten Gegensatz zu ihr steht. Damals ging, wie wir sahen, sein Streben unbedingt darauf aus, die moralischen Vorstellungen der Menschen als geworden, als durch bestimmte historische Bedürfnisse bedingt nachzuweisen. Schiller würde dieses Suchen nach „einem Anfang in der Zeit", nach einem „positiven Ursprung des Gesetzes der Notwendigkeit" als den „unglückseligsten aller Irrtümer" bezeichnet haben, weil das „Unvergängliche und Ewige im Menschen zu einem „Akzidens des Vergänglichen" gemacht werde. Und das wäre bei Nietzsche in einem noch höheren Grade der Fall, als wenn ein göttlicher Wille als Ursprung des Sittengesetzes erscheint, worauf sich die Bemerkungen Schillers beziehen. Aber Nietzsche beharrte, wie wir sahen, auf diesem Standpunkte nicht. Er kehrte zu den metaphysischen Vorstellungen seiner Jugend zurück und gelangte damit in der Lehre vom Willen zur Macht zu einer metaphysischen Begründung der Moral, seiner eigenen sowohl, wie überhaupt jeder Moral. Indem die Moral von ihm erfaßt wird als Ausdruck des Willens zur Macht, der das Wesen ist der Welt, wird sie gewissermaßen metaphysisch verankert. Und auch der Wille des einzelnen erscheint dabei als metaphysisches Vermögen, als ein Teil der allgemeinen Urkraft. Aber nicht als ein an sich freier, dem es möglich wäre, nach Belieben zu wählen, sondern als ein in seiner allgemeinen Richtung unweigerlich bestimmter, eben in der Richtung auf Macht hin. Daher gibt es für Nietzsche keinen metaphysisch freien Willen, ja überhaupt keinen Einzelwillen, im Sinne eines absolut selbständigen Vermögens. Nietzsche spricht daher von Willenspunktationen, was nichts anderes bedeutet, als daß der Wille, das Urwesen, in tausend Einzelerscheinungen zersplittert, sich in jeder offenbart.

Das nun sind Vorstellungen, die sich von denen Schillers nicht mehr so weit entfernen, wie die der mittleren Periode. Der Wille erscheint ebenfalls als ein metaphysisches Vermögen, als die Urkraft, an der der Mensch teilhat, ja die er selbst ist, wie er nach Schiller teilhat am Göttlichen, ja selbst Gott ist. Indessen ist der Wille nach Nietzsches Auffassung, wie wir sahen, nicht so frei wie nach der Schillers. Schließlich hat aber auch nach ihm der einzelne die Möglichkeit, zu wählen und zu richten, denn er soll ja eine bestimmte Form der Moral, die Herrenmoral, als die dem Wesen der Dinge entsprechendste und darum höherwertige erkennen und ihrer Ausbreitung dienen. Das war der Sinn der Umwertung aller Werte. Der einzelne muß also die Fähigkeit haben, sich für sie zu entscheiden. Nichtsdestoweniger behält der Wille seine bestimmte Färbung, während er nach Schiller absolut frei ist. Aber auch nach ihm sind dem Willen Richtlinien des Handelns gezogen, von denen er nicht abweichen darf, ohne der Idee der Menschheit untreu zu werden, und zwar im Sittengesetz.

Daß dieses nun bei Schiller absolut erscheint, während für Nietzsche die Moral, allerdings auch metaphysisch verankert, doch nur Ausdruck des Willens zur Macht ist, Mittel, Kampfmittel, um sich selbst immer wieder zum Siege zu verhelfen, also nichts außer ihm Stehendes, sondern vielmehr sein Produkt, darin liegt der entscheidende Unterschied zwischen Schiller und Nietzsche, den, wie gesagt, mancher als fundamental zu betrachten geneigt sein wird. Und in der Tat ist das der Punkt, an dem Nietzsche am weitesten über Schiller hinausgeschritten ist. Am allerweitesten, wie gesagt, in den Werken seiner positivistischen Epoche. Dadurch aber, daß Nietzsche die Form der moralischen Werte, welche er für die höchste hält, metaphysisch begründet, indem er in ihr den wahrsten Ausdruck des wahren Wesens der Welt erblickt, nähert er sich etwas wieder der Anschauungsweise Schillers, ohne ihm jedoch völlig nahe zu kommen. Denn nach ihm gestattet, ja verlangt das Wesen der Welt, der Wille zur Macht, verschiedene, ganz entgegengesetzte Arten moralischer Werte. Eine allerdings ist die höchste und soll wie Schillers Sittengesetz als Regulativ des Willens dienen, indem sie zugleich Ausdruck dieses Willens ist. Aber auch die anderen haben ihre Berechtigung und wurzeln in demselben Grunde. Es ist, wie wir sahen, der Gedanke einer Oekonomie der moralischen Werte, der sich darin ausspricht. Für Schiller aber gibt es nur ein Moralgesetz und dieses ist absolut.

Hier scheint ein Spalt zu klaffen, der nicht zu verhüllen ist. Es fragt sich aber, ob er nicht zu überbrücken ist.

Das ist vielleicht möglich, wenn wir uns den Charakter dieses absoluten Sittengesetzes klarmachen. Was sagt er aus? Welche Bedeutung hat es für das Leben des einzelnen? Wir sahen, Kant formuliert es dahin: handle so, daß die Maxime deines Willens als Prinzip einer allgemeinen Gesetzgebung gelten könnte. Es enthält also keine speziellen Vorschriften. Es ist ganz allgemeinen, ja formalen Charakters. Inhalt bekommt es erst, wenn wir uns die Frage beantwortet haben, welche Grundsätze des Handelns können als Prinzip einer allgemeinen Gesetzgebung betrachtet werden? Und ebenso sind die Begriffe Recht und Wahrheit, die, wie wir sahen, für Schiller die eigentlich moralischen Begriffe sind, an sich leer. Sie sowohl wie das Sittengesetz haben nur negativen Charakter. Das Sittengesetz besagt zunächst nur: handle nach Grundsätzen der Vernunft und nicht unter der Herrschaft der Sinnlichkeit oder wie Schiller es, wie wir schon im dritten Abschnitte hörten, formulierte: die moralische Bestimmung des Menschen fordert völlige Unabhängigkeit des Willens von allem Einflusse sinnlicher Antriebe. Und ebenso sagen die moralischen Begriffe Wahrheit und Recht zunächst nur aus: Unwahrheit und Ungerechtigkeit können nicht Prinzip der allgemeinen Gesetzgebung sein. Was aber speziell Recht und Wahrheit ist, sagen sie nicht.

Wollte man zwei Typen gegensätzlicher Weltanschauungen aufstellen, sie nach dem Prinzip des Handelns charakterisierend, so müßte man die hedonistische der idealistischen gegenüberstellen. Während jene als schließlich ausschlaggebende letzte Richtschnur des Handelns die Erlangung der Glückseligkeit, diesseitiger oder jenseitiger, betrachtet, nimmt diese allein die Idee ohne jede Rücksicht auf Glück oder Leiden zur Führerin des Lebens. Auf die Bedingungen, die die hedonistische Weltanschauung dem einzelnen auferlegt, damit er dieses Ziel zeitlicher oder ewiger Glückseligkeit erreiche, kommt es dabei nicht an. Mag sie in der Gleichmütigkeit gegen alle Wechselfälle des Lebens, oder in der Tätigkeit, oder in der einseitigen Entwicklung der Geistigkeit, in der Abtötung der Sinnlichkeit oder in der Befolgung bestimmter Moralvorschriften die Vorbedingung sehen, immer ist das Glück in irgendeiner Gestalt das Phantom, dem man nachjagt. Für die idealistische Weltanschauung aber ist Glück niemals das Ziel, sondern höchstens eine sekundäre Begleiterscheinung. Sie sucht vielmehr das

Prinzip des Handelns aus dem Wesen der Dinge zu schöpfen. Sie redet dem Menschen niemals zu: auf diesem Wege wirst du selig, sondern: diese Aufgabe hast du, und niemals sagt sie: wenn du diese Aufgabe erfüllst, wirst du glücklich, in diesem oder jenem Leben, sondern: du hast diese Aufgabe, also erfülle sie; was daraus folgt, ist gleichgültig.

Ein Ausdruck dieser idealistischen Weltanschauung ist Schillers Glaube an das absolute Sittengesetz. Denn das ist vornehmlich sein Inhalt: die Ablehnung jedes Trachtens nach Glück als Motiv des Handelns.

Kant entwickelte daraus bekanntlich gewissermaßen als Position zur bloßen Negation den Gedanken der Pflicht, der ihn mit wahrer Begeisterung erfüllte. Aber Kant stellte als Postulat der praktischen Vernunft die Realität der Begriffe Gott, Freiheit und Unsterblichkeit auf. Als Forderung der praktischen Vernunft, das heißt schließlich nichts anderes, als zur Befriedigung des menschlichen Bedürfnisses nach Rationalisierung, nach Vernünftigung der Welt, nach Erlösung. Dies aber ist nichts als das Sehnen nach einem irgendwie, irgendwann einmal erreichbaren Glück. Und so kehrt Kant letzten Endes trotz seiner so unerschütterlich idealistischen Auffassung zur hedonistischen zurück.

Für Schiller aber gibt es eine solche Befriedigung des praktischen Bedürfnisses der Menschen, die schließlich ihre ganze Weltanschauung revolutionieren muß, nicht. Nicht im Glauben, dem Kant wieder zu seinem Rechte zu verhelfen suchte, nachdem er den Wahn, von den höchsten Dingen etwas wissen zu können, zerstört hatte, nicht im Glauben, sondern in der Welt der Kunst, in der die Ideen

Leben bekommen, gewissermaßen Fleisch und Blut werden, die intelligible Welt, sonst ideologischen Charakters, gewissermaßen Realität gewinnt, sah er das Mittel, das Bedürfnis der praktischen Vernunft zu befriedigen. Seine Anschauung deckt sich völlig mit der Goethes: wer Wissenschaft und Kunst besitzt, der hat Religion, wer sie nicht besitzt, der habe Religion. Und auch die Welt der Kunst, die Welt des schönen Scheines ist für Schiller, wie wir sahen, nicht eine dauernde Zufluchtsstätte aus der rauhen Wirklichkeit oder gar ein Mittel, das furchtbare und grausame Antlitz der Natur zu verschleiern, sondern zum nicht geringsten Teil der Spiegel, aus dem uns dieses Antlitz unverhüllt entgegenblickt. Dadurch aber wird die Kunst ungeeignet, dem Postulat der praktischen Vernunft, selbst auch in anderem Sinne als in dem Kants, zu genügen. Woraus wir erkennen, daß Schiller ein solches Postulat letzten Endes überhaupt nicht anerkennt. Sein Idealismus ist eben konsequent bis zum äußersten. Dadurch wird die Differenz zwischen ihm und Kant, auf die schon oben hingewiesen wurde, tiefer und bedeutender. Die Kluft aber, die ihn von Nietzsche zu trennen schien, will uns nunmehr weniger unüberschreitbar erscheinen. Eben diesen konsequenten Idealismus Schillers, der niemals nach den Gemütsbedürfnissen fragt, die doch nur verhülltes Glücksverlangen sind, sondern allein nach dem Wesen der Dinge, sich an ihm genügen lassend, können wir als den Grundpfeiler betrachten, um im Bilde zu bleiben, der Brücke, die uns über den Spalt tragen soll, der sich zwischen ihm und Nietzsche öffnet.

Denn dieser Idealismus ist das Element, in dem

Nietzsche atmet und lebt. Es bedarf hierzu kaum noch eines Wortes. Indessen ist die entgegengesetzte Vorstellung über ihn so weit verbreitet, daß es ratsam erscheint, hier doch noch einiges darüber zu sagen. Das Bild Nietzsches, als des Verkünders des Ideals der freischweifenden blonden Bestie und Cesare Borgias als des Idealmenschen, scheint sich am stärksten den Köpfen der Zeitgenossen eingeprägt zu haben. Man übersieht dabei völlig, daß damit nicht das Menschheitsideal bezeichnet ist, sondern das Ideal der Kraft, der gesunden, nicht von des Gedankens Blässe angekränkelten Fülle der Triebe und Leidenschaften. Daß er dieses Ideal mit Schroffheit und ohne jede Rücksicht auf die Gefahr hin, mißverstanden zu werden, pries, ist nur eine Folge der Vereinsamung, in die er geraten war. Seine Aeußerungen nehmen mit der Zeit immer mehr einen eruptiven Charakter an. Er hat diese Gefahr des vereinsamten, in sich selbst zurückgedrängten, von keinem Widerhall der Außenwelt berührten Genies in „Schopenhauer als Erzieher", sein eigenes Geschick vorahnend, selbst geschildert. Auf Rechnung dessen ist alles Schroffe und Maßlose in den Werken seiner letzten Schaffensjahre zu setzen. Nie aber hat er daran gedacht, in der brutalen, rücksichtslosen und ungezügelten Kraft das Ideal der Menschheit zu sehen. Die Voraussetzung der höheren Entwicklung der Menschheit ist ihm nicht weniger als Schiller die härteste Selbstzucht. Wenn je einer, so ist er in Wort und Schrift dafür eingetreten. Es gehört das ganze Uebelwollen, das dem entgegengebracht zu werden pflegt, der mit Schärfe und Offenheit neue Ideale vertritt, dazu, um ihn hierin mißzuverstehen.

Und wie hat man ihn mißverstanden! Galt er doch lange und gilt vielleicht noch jetzt vielen als der Befürworter schrankenlosen, sinnlichen Genusses in dem Sinne, in dem man gemeinhin das Wort Sinnlichkeit faßt. Allen diesen sei die Lektüre dessen, was Zarathustra über die Ehe sagt, empfohlen. Aber hierüber wäre jedes weitere Wort zuviel gesagt.

Wichtiger ist die Frage, ob die metaphysischen Vorstellungen Nietzsches diesen Idealismus ähnlich wie Schillers Sittengesetz fordern. Und da sahen wir denn, daß die Lehre von der ewigen Wiederkunft des Gleichen den Zweck hat, den Menschen anzuspornen, aus seinem Leben ein solches Kunstwerk zu machen, daß er wünschen kann, es immer wieder zu erleben. Man kann sagen, diese Lehre tritt an die Stelle der altreligiösen Vorstellungen. Sie hat mit ihnen vor allem das gemein, daß sie der einzelnen Handlung eine über dieses, von Geburt und Tod umschlossene Leben hinausweisende Bedeutung gibt. Die Vorstellung, daß ich das, was ich jetzt tue, unzählige Male wieder tun muß, immer wieder durch die Konsequenzen dieses Tuns erfreut oder bedrückt, erinnert an die sonst herrschenden Vorstellungen von Lohn und Strafe im Jenseits. Nietzsche würde sich damit von der rein idealistischen Auffassung der Welt, die niemals nach Lohn und Strafe in irgendeiner Form fragt, abwenden. Aber da diese Lehre gedacht ist als äußerster Ausdruck der Lebensbejahung, des heroischen Willens zum Leben und erst in zweiter Linie als Erziehungsmittel, als „das größte Schwergewicht", so können wir sie im ganzen betrachten als einen Beweis dafür, daß auch Nietzsche ein metaphysisch begründetes Regulativ des Handelns für wünschenswert ansah. Nietzsche würde damit noch näher an Schiller heranrücken. Die Lehre der ewigen Wiederkunft träte an die Stelle der Absolutheit des Sittengesetzes. Daß sie nun in der idealistischen Richtung wirkt, liegt, wenn wir näher zusehen, an und für sich nicht in ihr. Sie bekommt diesen Inhalt erst durch die Lehre vom Willen zur Macht, denn diese bildet, wie wir sahen, sowohl das Erklärungsprinzip für alle Erscheinungen der Welt, als sie auch dem Menschen ihre Aufgabe gibt. Diese Seite ihres Wesens tritt in den Prosaaufzeichnungen der letzten Jahre der anderen gegenüber fast völlig zurück. Nietzsche wurde durch das Streben, alle Erscheinungen des Lebens, geistige, moralische, soziale, auf diesen Kern zurückzuführen, allzu stark in Anspruch genommen. Aus der Tatsache aber, daß er seine Moral darauf gründet, daß sie die dem Wesen der Dinge entsprechendste ist, folgt ohne weiteres die Forderung, daß der Mensch diese Moral sich zu eigen zu machen habe. Sie aber fordert von jedem die äußerste Selbstzucht, die die vornehmste Tugend ist des Kriegers. Denn nur so kann der einzelne der Idee der Welt dienen, indem er sich selbst sowohl zu dem Ideal seiner selbst erzieht — denn nach Nietzsche wie nach Schiller erhebt sich über jedem Menschen sein eigenes Ideal —, als auch das seine dazu beiträgt, den höchsten Formen den Weg zu ebnen. Wer das Leben einmal in diesem Sinne erfaßt hat, wird nur an einem dementsprechend gestalteten Dasein Befriedigung finden, wie auch der Mensch Schillers, der das Sittengesetz als von Ewigkeit bestehenden Ausdruck seines inneren Wesens erfaßt hat, nie bei einer mit ihm kontrastierenden Lebensform sich beruhigen kann. Ein anderes Handeln würde die Stimme des „Gewissens" wachrufen. Die Aussicht, das Leben immer wieder leben zu müssen, wird daher für die, die eines solchen Ansporns bedürfen, ein Antrieb sein, dem Sinne des Lebens gemäß zu leben. Wir sehen also, daß die idealistische Weltauffassung auch bei Nietzsche nicht nur als Ideal erfaßt, sondern auch metaphysisch begründet ist.

Ist also Schillers Glaube an den absoluten Charakter seines Sittengesetzes im wesentlichen nur der Ausdruck idealistischer Lebensauffassung im oben charakterisierten Sinne, so wird der Gegensatz zu Nietzsche dadurch weniger bedeutend.

Zugleich aber sind wir im Laufe selbst der letzten Erörterungen zu einer tieferen Erfassung der Grundlage der tragischen Kultur gelangt. An die Befreiung von allen überweltlichen Mächten schließt sich unmittelbar an die Selbstbindung, um einen Lamprechtschen Ausdruck zu gebrauchen, der Persönlichkeit in der idealistischen Weltauffassung. Beide zusammen begründen den tragischen Gesamtcharakter dieser Kultur und ihre einzelnen Züge.

Den tragischen Charakter. Wir sind uns nicht mehr im unklaren darüber, was tragisch heißt. Schiller definiert es als die Inokulation des Schicksals. Allgemein gefaßt, ohne Beziehung zur Kunst, bedeutet es den endgültigen, bewußt gewollten Verzicht auf jeden Versuch, die Welt zu rationalisieren. Wenn der Mensch bisher im Glauben an einen persönlichen Gott die Lösung fand der Rätsel, die ihn bedrängten, so gilt es jetzt, darauf zu verzichten. Der Mensch ist frei geworden. Er hat keinen Herren mehr über sich, den er fürchten müßte, oder den gar zu lieben ihm befohlen wäre. Aber er entbehrt auch des allweisen und allgütigen Schöpfers, durch den auch das bitterste Leiden Vernunft und Sinn bekam, als Strafe oder Besserungsmittel, d. h. zur Quelle schließlich des Glückes wurde im Diesseits oder Jenseits. Den Kindern Gottes muß alles zum besten dienen. Jenes süße und beruhigende Gefühl der Geborgenheit, jenes Kinderglück, sich beschützt, geleitet und geliebt zu fühlen von einer Macht, der man vertrauen durfte, ist vorüber. Wie Niels Lyhne aus seinen Kinderträumen erwacht beim Anblick wirklichen, unabwendbaren Leidens, wie er da begreift, daß wohl im Märchen in der Lage der höchsten Not die überraschende Wendung eintritt, die befreiende, errettende Erlösung, nicht aber im Leben, daß hier keine gütige Fee, kein edelmütiger Held und Ritter dazwischen tritt, sondern daß wer zum Leiden einmal verurteilt ist, es bis zum herben Ende auskosten muß, so erkennt der Mensch der tragischen Kultur, daß jede Flucht unmöglich, jede Hoffnung vergeblich, daß es kein Mittel gibt, sich dem Unabwendbaren zu entziehen oder seinen wahren Charakter zu verschleiern. Es gibt keine Rechtfertigung des Leidens im Einzelfalle, es gibt keine sittliche Weltordnung. Dem Schicksal gegenüber ist der Mensch ohnmächtig. Dieses aber ist nicht etwa eine dunkle geheimnisvolle Macht, halb mystischen Charakters, wie man es oft genug auffaßt, sondern die Summe der Lebensbedingungen, der Verkettung von Ereignissen und Zuständen, die das Leben des einzelnen bestimmend gestalten.

Mit dem Kinderglück ist aber auch die Kinderfurcht verschwunden. Der Mensch der tragischen Kultur ist zum Manne herangereift, er ist nicht mehr

Sklave oder Untertan, er ist frei geworden. Und frei und licht wird damit auch sein Leben. Der Himmel wölbt sich hoch und hell über ihm, dem trunkenen Blicke ungeahnte Weiten öffnend, der vordem wie das Dach eines Gefängnisses auf ihm lastete. „O Himmel über mir, du reiner, lichter, du Lichtabgrund," jubelt Zarathustra, „dich schauend, schaudere ich vor göttlichen Begierden. In deine Höhe mich zu werfen, das ist meine Tiefe, in deine Reinheit mich zu bergen, das ist meine Unschuld!" Alles mystische Halbdunkel, das über den Dingen lagerte, ist verschwunden. Wie beleuchtet von dem hellen, scharfen, klaren und doch goldenen Lichte eines Herbstmorgens im Hochgebirge, wenn die Nebel geschwunden sind, liegt die Welt vor den Augen des Menschen der tragischen Kultur. Die Luft ist rein geworden von allen Gespenstern, die seit Jahrtausenden den Menschen auf Schritt und Tritt umschwirrten, von all den hundert Einwirkungen einer überweltlichen Macht, die ihn unheimlich umgaben. Er ist dahin gelangt, wohin sich Faust am Ende seines Lebens sehnt, wenn er in die Worte ausbricht:

„Könnt' ich Magie von meinem Pfad entfernen,
Die Zaubersprüche ganz und gar verlernen,
Stünd' ich, Natur, vor dir ein Mann allein,
Dann wär's der Mühe wert, ein Mensch zu sein."

Er steht allein, ein Mann, vor der Natur. Er hat nicht mehr mit irgendwelchen willkürlich wirkenden Kräften zu tun, sondern allein mit gesetzmäßig wirkenden, deren Summe das Phänomen des Lebens ausmacht, dessen er selbst ein Teil ist.

Dieses Leben aber ist irrational, wie wir sahen,

unvernünftig, gemessen an dem Maßstabe menschlicher Wünschbarkeiten. Es hat kein Herz, vor allem, es unterscheidet nicht, es schätzt nicht; es steht jenseits von Gut und Böse und jenseits von Gut und Schlecht. Es liebt alle seine Kinder gleichmäßig, wie die Sonne scheint über Böse und Gute, über Gerechte und Ungerechte. Es opfert das größte dem kleinsten Lebewesen. Es hebt den Schwächling hoch empor und läßt den Großen zugrunde gehen. Es läßt die Unschuld verderben und die Ungerechtigkeit triumphieren.

Der Mensch der tragischen Kultur kann sich dieser Einsicht nicht verschließen. Aber er verzagt darum nicht. Eben aus dem Bewußtsein seiner Freiheit selbst heraus erhebt er sich über den Zwang, den er leiden soll. Er beseitigt ihn dadurch, daß er ihm zuvorkommt. Er sieht, daß hier die Grenze seiner Freiheit ist und so „entleibt er sich moralisch selbst", wie sich Schiller ausdrückt, und wahrt sie sich eben dadurch. Er unterwirft sich der Notwendigkeit freiwillig, indem er, wie wir oben sagten, das Notwendige als notwendig, das Unabwendbare als unabwendbar erkennt. Das aber soll nicht heißen, daß er das Leiden als notwendig zu einem bestimmten Zwecke erkennt, sondern zunächst nur als unabänderliche Tatsache, als notwendig begründet in der Natur der Dinge, und es heißt nicht, daß er in törichtem Fatalismus auf jede Gegenwehr verzichten solle. Im Gegenteil. Aber einmal kommt die Grenze, an der jede menschliche Macht haltmachen muß. Das gilt vor allen Dingen vom Tode und allen großen Naturgewalten und schließlich auch von all den tausend Unsinnigkeiten und sogenannten Zufälligkeiten des

Daseins. Gegen sie gibt es nur „des Geistes tapfre Gegenwehr."

Nietzsche hat diese freiwillige Unterwerfung Schillers unter das Notwendige gesteigert, kann man sagen, zu dem Gedanken der Liebe zum Schicksale, seinem amor fati, seinem „unbegrenzten Ja und Amen sagen". Bei ihm ist die Haltung des Menschen der tragischen Kultur dem Schicksal gegenüber von ungleich stärkeren Gefühlstönen begleitet als bei Schiller. Wunderlich genug, aber es ist so, der Dichter steht hier viel mehr unter der Herrschaft der Idee, er erfaßt das Ganze viel mehr mit dem Verstande als der Philosoph. Nietzsche wird hingerissen zu dithyrambischer Begeisterung. Er empfindet viel unmittelbarer die wunderbare Schönheit und herzstärkende Kraft des Erhabenen, die den Menschen über alle Schwächen hinwegträgt. Er schwelgt in dem höchsten Rausche der Macht des Geistigen über das grob Materielle. Er ist entzückt und fast geblendet von dem wunderbar herrlichen Anblick mächtig quellenden Lebens, das oft gerade in dem, was uns als das Furchtbare erscheint, seine höchste Kraft entfaltet. Darum fordert er nicht nur freiwillige Unterwerfung, sondern Liebe. Der Mensch der tragischen Kultur soll, wie er sagt, die bisher „verneinten Seiten des Lebens nicht nur als notwendig begreifen, sondern als wünschenswert: und nicht nur als wünschenswert in Hinsicht auf die bisher bejahten Seiten (etwa als deren Komplemente oder Vorbedingungen), sondern um ihrer selber willen als der mächtigeren, fruchtbareren, wahren Seiten des Daseins, in denen sich sein Wille deutlicher ausspricht". Darum verkündet er als letzten und tiefsten Ausdruck dieser das Leben trotz aller Schrecknisse bejahenden Weltanschauung die Lehre von der ewigen Wiederkunft des Gleichen, in der Vergangenes wie Zukünftiges in gleicher Weise gutgeheißen wird. Nietzsche hat diese Gesamtstimmung und Haltung zum Leben getauft auf den Namen des Gottes Dionysos. Auch hiermit zurückkehrend zu den Lieblingen seiner Jugend. Schon damals war ihm, wie wir sahen, Dionysos, der Gott des Rausches und der Natur, die Verkörperung des in alle Tiefen schauenden und doch nicht verzagenden Willens zum Leben. Und ebenso sieht er jetzt, nun aber befreit von jedem Hauch Schopenhauerscher Mystik, in den dionysischen Mysterien der Griechen den Ausdruck der „Grundtatsache des hellenischen Instinktes" — seines Willens zum Leben. „Was verbürgte sich," fragt er, „der Hellene, mit diesen Mysterien? Das ewige Leben, die ewige Wiederkehr des Lebens; die Zukunft in der Vergangenheit verheißen und geweiht; das triumphierende Ja zum Leben über Tod und Wandel hinaus; das wahre Leben als das Gesamtfortleben durch die Zeugung, durch die Mysterien der Geschlechtlichkeit." Und so ist ihm Dionysos der Gott der tragischen Kultur.

Nietzsche hat mit alledem, wie gesagt, die Forderung Schillers bis auf das Aeußerste gesteigert. Völlig fremd sind aber auch Schiller solche Stimmungen und Empfindungen nicht gewesen. Auch für ihn erhebt sich über dem dunklen Untergrunde des Leidens sieghaft und triumphierend der Einblick in den tiefen Zusammenhang aller Dinge, in den unerschöpflichen Reichtum und die unversiegbare Fruchtbarkeit der Natur:

11*

„Ein großes Lebendige ist die Natur,
Und alles ist Frucht, und alles ist Samen.“

wie es in der Braut von Messina heißt. Und wenn er kurz vor seinem Hinscheiden äußerte, der Tod könne kein Uebel sein, weil er allgemein sei, so spricht sich eben darin die Ueberzeugung aus, daß in dem großen Haushalte der Natur sich schließlich alles bejaht und erlöst, und aus ihr erwachsend die uneingeschränkte Lebensbejahung.

Ueberall finden wir die Spuren dieser Weltanschauung. Wer sie nicht in sich aufgenommen hat, wird über hundert Stellen in Schillers Werken hinweglesen, ohne ihren wahren Sinn zu erfassen. Ein Schulbeispiel dafür könnte man die Schilderung der Feuersbrunst in der „Glocke“ nennen. Da sehen wir den Menschen der tragischen Kultur im Kampfe mit übergewaltigen Mächten. Er wehrt sich, solange er es vermag. Und als er sieht, daß aller Widerstand nutzlos ist, da verzweifelt er nicht oder jammert oder betet, sondern erhebt sich zur ästhetischen Betrachtung des herrlichen Schauspiels der entfesselten Naturgewalt und dadurch über den Schmerz und die Gewalt, die er von ihr erleiden muß:

„Müßig sieht er seine Werke
Und bewundernd untergehn.“

Damit wahrt er seine Freiheit und kann nun „fröhlich“ zum Wanderstabe greifen.

Am stärksten aber, und für den, der ein offenes Ohr hat für die symbolische Sprache der Kunst, am unmittelbarsten hat Schiller seine Weltanschauung ausgesprochen in dem ihm eigensten Kunstwerk, in der Tragödie. Dazu bedarf es nach dem, was uns Schiller selbst in der Abhandlung über das Erhabene mitgeteilt hat, keiner längeren Auseinandersetzungen mehr. Die ganze Verranntheit in vorgefaßte Ideen, von der die Geschichte unserer Wissenschaften so zahlreiche Beispiele gibt, war nötig, um hier trotz aller theoretischen Belehrungen Schillers nicht zu sehen, was auch ohne sie offen vor den Augen aller liegt. Um hier die Darstellung einer sittlichen Weltordnung zu suchen, in der sich Schuld und Sühne verhalten wie die beiden Seiten einer Gleichung, oder eine „Charaktertragödie", das heißt eine Illustrierung des doch nur den naiven Glauben des Volkes an die Macht der Persönlichkeit ausdrückenden bekannten Sprichwortes: Jeder ist seines Glückes Schmied. Wer mit solchen Vorstellungen an Schillers Werke herantritt, dem können sie nichts geben oder wenigstens nicht das, was sie geben sollen. Man lese, was Hermann Hettner in seiner bekannten und weitverbreiteten Literaturgeschichte über Schillers Dramen sagt, um einen Begriff davon zu bekommen, wie hoffnungslos weit man daneben greifen kann.

Uns aber ist klar geworden, daß es das Leben selbst ist, das Schiller in seinen Tragödien darzustellen unternimmt und zwar das Leben in seiner furchtbarsten und fragwürdigsten Gestalt. Darum ist ihr Thema: der große Mensch und sein Schicksal. Denn das ist etwas, das am ehesten als Einwand gegen das Leben gelten könnte. Mag das Kleine, Schwächliche und Wertlose zugrunde gehen, das Große und Wertvolle sollte von der Natur besonders geschützt sein. Aber gerade der große Mensch ist der gefährdetste und zerbrechlichste. Zu dieser schmerzlichen Einsicht verhilft uns die Schillersche Tragödie.

Der große Mensch, immer drei Schritt weit vom Verbrechen, wie Nietzsche sagt, immer unmittelbar am Rande des Abgrundes, der ihn zu verschlingen droht. Gefährdet wie kein anderer allein schon durch die gewaltige Spannung seines Inneren, immer in Gefahr, an sich selbst zu zerbrechen, in Lagen, aus denen der Leidenschaftlose — Leidenschaft gehört zur Größe — sich ohne Mühe rettet — der Fall des Marquis Posa, Max Piccolominis, des Don Cesar, der Maria Stuart. Gefährdet durch die Größe der Aufgabe, die seine eigene Größe ihn zu suchen zwingt, — der Fall Wallensteins und der Jungfrau von Orleans. In Gefahr, immer zu scheitern am Widerstand der stumpfen Welt, am ewig Gestrigen, — Wallenstein, die Jungfrau von Orleans —, zugrunde zu gehen am Haß und Neid der Kleinen gegen alles Große und Schöne — der Fall Maria Stuarts. Ihr Schicksal ist Elisabeth.

Ein Gefühl tiefsten Verzagens könnte angesichts dessen den Menschen beschleichen. Aber wir sahen, wie Schiller gerade die entgegengesetzte Wirkung von der Tragödie erwartete und worauf er diese Erwartung gründete. Es kommt hinzu, daß in der Tragödie selbst jener heroische Widerstand gegen das Schicksal, zu dem sie den Zuschauer erziehen soll, vor unseren Augen geleistet wird. Der Held ist, trotzdem er zugrunde geht, niemals der Unterliegende. In ihm triumphiert das Leben über Tod und Schicksal. Keine von Schillers großen tragischen Gestalten stirbt gebrochen, vernichtet, zerschmettert. Selbst Wallenstein fällt unerschüttert, braunen Haares, bereit zu weiterem Kampfe. Völlig klar und unzweideutig aber ist die Erhebung der freien Persönlichkeit über den Tod dargestellt im Ende Don Cesars und der Maria Stuart. Hier feiert das Leben seinen höchsten Sieg. Eine Ahnung seiner überreich quellenden Kraft, die gerade im Opfer ihrer höchsten Typen ihres Reichtums erst recht froh wird, überkommt uns.

Und schließlich entrollt sich uns in „Wilhelm Tell" in wundervoll epischer Breite das Bild heroischen Menschentums. Das dem sittlichen Empfinden Furchtbarste, der Mord aus sicherem Hinterhalt, erscheint maßlosem Frevel gegenüber als das Gegebene und Natürliche. Tell verhehlt sich das Furchtbare seiner Tat nicht. Aber er weiß, daß sie ihren Platz hat im harten Gefüge des Lebens. Als ihm Stüssi, der Flurschütz, von dem Ritter erzählt, dessen Roß unter Hornissenstichen zu Boden gefallen sei, und hinzufügt:

„Man deutet's auf ein großes Landesunglück
Auf schwere Taten wider die Natur",

erwidert er gelassen:

„Dergleichen Taten bringet jeder Tag,
Kein Wunderzeichen braucht sie zu verkünden."

Wenn Schiller nachher, weiblichem Einflusse nachgebend, in der Johannes-Parricida-Szene Tell sich allzu bewußt verteidigen läßt, seine Tat dadurch fast ihres furchtbaren und tragischen Charakters beraubend, so ist das nichts als ein Beweis für den Zug großartiger Konnivenz im Charakter Schillers, die ihn den Schwachen schonen ließ. Ein Zug, der übrigens auch Nietzsche nicht fehlt. Er wollte nicht, daß seine Schriften von jedermann gelesen würden. Schiller selbst aber war hart genug, dem Geschick ins Auge zu sehen, ja, er besaß jene Freude am Furchtbaren, die Nietzsche von allen fordert, jene Lust fast am Grausamen, die Goethe bei ihm feststellen zu können meinte, und die Nietzsche als unentbehrlich für den tragischen Künstler bezeichnet. —

Diese bei Nietzsche zur Liebe gesteigerte Ueberwindung des aus der Befreiung der Persönlichkeit von allen überweltlichen Mächten erwachsenen tragischen Aspektes der Welt, diese aus seiner Freiheit selbst geschöpfte heroische Haltung gegenüber dem Leben ist nun bereits eine Folge der oben geschilderten idealistischen Weltanschauung Schillers wie Nietzsches. Die hedonistische, die auf demselben Boden entstehen kann, ja in ihrer krassesten Form am leichtesten und vielleicht nur auf ihm erwächst, wird es nie weiter bringen als zu einer innerlich schwächlichen, verzagenden Resignation, nie zu einem unbedingten Jasagen. Ihre Unterwerfung unter das Unabänderliche stammt aus der Ohnmacht, nicht aus der Stärke. Schillers und Nietzsches Ueberwindung des Schicksals aber enthält bereits ein Ideal. Das Ideal der freien Geistigkeit, die den Dingen der Welt ihren Stempel aufdrückt, auch denen, gegen deren Gewalt sie nichts vermag. Das erreicht sie, wie wir sahen, dadurch, daß sie sie in ihren Willen aufnimmt, sie dadurch gleichsam zu Geschöpfen ihres Willens machend. Daraus ergeben sich nun des weiteren die Einzelzüge im Bilde der tragischen Kultur.

Das Ideal der freien, sich unter allen Umständen selbst behauptenden geistigen Persönlichkeit führt notwendigerweise zum Individualismus. Denn im Einzelindividuum allein kann sich das Leben zu diesem höchsten Sieg erheben, nur in ihm findet das Dasein seine Rechtfertigung und Erklärung, niemals aber in der Masse. Und dieser Individualismus hat idealistischen Charakter. An die Freistellung schließt sich, wie oben gesagt, unmittelbar an die Selbstbindung der Persönlichkeit. Der Begriff der Freiheit erhält dadurch die ihm bei Schiller und Nietzsche eigentümliche Färbung. Er verliert seinen an sich negativen Charakter und bekommt positiven Gehalt. Frei ist, so können wir es nunmehr formulieren, wer frei und doch Herr ist seiner selbst.

Dieser idealistische Individualismus nun muß aristokratischen Charakters sein. Denn er richtet, im Gegensatz zum Sozialismus, diesen als Prinzip gefaßt, den Blick nicht auf die Menge, sondern auf den einzelnen und erkennt daher, während jene uniform erscheint, die Verschiedenheit und Mannigfaltigkeit der Menschen. Der tragische Aspekt der Welt wird dadurch noch um einen Zug vermehrt. Die hedonistische Weltauffassung findet ihren Trost in der Gleichartigkeit der Menschen, und ihre innere Ohnmacht, sich in Freiheit gegen das Schicksal zu behaupten, läßt sie um so mehr auf möglichst weitgehende, gemeinsame Abwehr des Leidens denken. Sie sieht, nachdem sich die Befreiung der Persönlichkeit von allen überweltlichen Mächten vollzogen hat, nun erst recht die Menschen als Brüder eines gemeinsamen Geschickes und, da sie kein Ziel hat, das zugleich als Wertmaßstab gelten könnte, als letzten Endes gleichartig, gleichwertig und gleichberechtigt an. So gelangt sie zum Sozialismus und zur Demokratie. Die idealistische Weltauffassung aber, die zum Individualismus führt, schließt sozialistische Bestrebungen nicht aus, lehnt aber die Gleichartigkeit und vom Standpunkte der Aufgabe, die den Menschen gesetzt ist, ihre Gleichwertigkeit ab. Dadurch verschärft sich, wie gesagt, der tragische Charakter des Lebens. Ja, hier offenbart sich eine Fatalität des Lebens, die den einzelnen vielleicht am härtesten trifft. Mag er sich alles sonstigen Leidens durch seine Allgemeinheit trösten, hier muß er sich sagen, daß er allein betroffen ist, daß eine besondere Art von Verdammnis für ihn mit ihm geschaffen wurde. Er ist sich selber sein Verhängnis. Keine Macht der Erde kann ihn von ihm selbst befreien. Kein Flügel trägt ihn über den Strom, der trennend zwischen ihm und dem höchsten Ziele dahinströmt, kein Wille kann die Mauer durchbrechen, die sich um ihn türmt, erbaut aus seinen eigenen Fähigkeiten und Schwächen. Die höchste Kraft des Geistes und der Sinne kann nicht erworben werden, man muß sie besitzen. „Alles Höchste, es kommt frei von den Göttern herab", wie Schiller im „Glück" sagt.

Dieser Fatalität des Lebens gegenüber gibt es nichts als sich bescheiden und sein Glück finden im Anblick des Vollkommenen:

„Zürne der Schönheit nicht, daß sie schön ist, daß sie verdienstlos,
Wie der Lilie Kelch prangt durch der Venus Geschenk,
Laß sie die Glückliche sein, du schaust sie, du bist der Beglückte.
Wie sie ohne Verdienst glänzt, so entzücket sie dich.
Freue dich, daß die Gabe des Lieds vom Himmel herabkommt,

Daß der Sänger dir singt, was ihn die Muse gelehrt.
Weil der Gott ihn beseelt, so wird er dem Hörer zum Gotte,
Weil er der Glückliche ist, kannst du der Selige sein."

Nietzsche, auch hierin entschiedener, begnügt sich damit nicht, sondern fordert, wie wir sahen, die Hingabe an die Größe, die Arbeit in ihrem Dienste. Ein Gedanke, der freilich auch Schiller nicht fremd ist, denn auch er fordert die Mitarbeit aller, damit das Ziel, der vollkommene Mensch, erreicht werde. Aber für den einzelnen scheint ihm doch die nächste Aufgabe zu liegen in der treuen Erfüllung der Pflicht, zu der ihn Neigung und Schicksal geführt haben, während Nietzsche mit einseitiger Schroffheit den Hauptton auf diese Aufgabe legt. Sie solle im Bewußtsein des Menschen *herrschen*. Schließlich aber vollzieht sich bei Schiller wie bei Nietzsche auch dieser Fatalität des Lebens gegenüber die Selbstbehauptung der freien Persönlichkeit auf demselben Wege wie gegenüber den anderen Schicksalsgewalten: durch freiwillige Unterwerfung, die sich bei Nietzsche zur Liebe steigert.

Die Erkenntnis der Verschiedenartigkeit der Menschen führt nun, wie gesagt, zu einer aristokratischen Auffassung. Die Besten sollen herrschen. Sie sollen die Werte, die Ideale bestimmen. Die Menge der durchschnittlich oder geringer Begabten erscheint als minderwertig. Man kennt die Wendungen oft verächtlichen Klanges, die Nietzsche für die Menge geprägt hat. Weniger pflegt betont zu werden, wie schroff auch Schiller in diesem Punkte dachte.

„Majestät der Menschennatur!" ruft er aus, „dich soll ich beim Haufen
Suchen? Bei wenigen nur hast du von jeher gewohnt,
Einzelne, wenige zählen, die übrigen alle sind blinde
Nummern, ihr leeres Gewühl hüllet die Treffer nur ein."

Und:

„Ehret ihr immer das Ganze, ich kann nur Einzelne achten,
Immer im Einzelnen nur, hab' ich das Ganze erblickt."

In diesen Distichen ist das Thema zu allen Ausführungen Nietzsches über diesen Punkt gegeben.

Diese aristokratische Auffassung schließt nun, wie schon angedeutet, den Sozialismus nicht aus, sobald man ihn nicht als Lebensprinzip auffaßt, sondern nur als Fürsorge für das leibliche und geistige Wohl der unteren Klassen. Diese Dinge liegen aber Schiller und Nietzsche nicht im Blickpunkte des Interesses.

Besonders mußte Schiller der eigentlich sozialen Frage fremd bleiben. Denn sie war seiner Zeit fremd. Aber er verstand es als eine sich von selbst verstehende Forderung, daß alles getan werde, um die materielle Basis für die Höherentwicklung der Menschheit zu schaffen, und hat das in bekannten Versen in aller Schlichtheit ausgesprochen. Wer noch in unablässiger Sorge um das tägliche Brot sein Leben hinbringen muß, dem bleibt keine Möglichkeit, seine Persönlichkeit zu höherem Menschentum zu steigern. Die Lösung der Frage, die wir heute als soziale Frage zu bezeichnen pflegen, würde ihm also niemals als Selbstzweck von Bedeutung sein, sondern nur als Mittel zur Erfüllung der Aufgabe der Menschheit.

So muß jede idealistische Weltanschauung zu dieser Frage stehen. Nur die hedonistische, und zwar die, welche das Glück im Diesseits sucht, wird sie als d i e Frage des menschlichen Daseins überhaupt behandeln. So steht daher auch Nietzsche zu ihr.
Sie trat ihm näher, als sie Schiller getreten war. Aber er sah, der Richtung seines Geistes entsprechend, in ihr lange Zeit nur den Ausdruck geistiger Verarmung und völliger Verkennung des eigentlichen Zweckes des Lebens. Erst in seiner letzten Periode vollzieht er die Wendung zur Auffassung Schillers, nun aber seiner Natur gemäß mit Entschiedenheit, ihren Charakter schärfer betonend. Die demokratische Entwicklung Europas erscheint ihm jetzt verheißungsvoll, weil sie das breite Fundament abgeben soll, auf dem die höhere herrschaftliche Art Mensch der Zukunft sich erheben kann, und schon erweckt ihm, wie er sagt, „der Anblick des jetzigen Europäers viele Hoffnung. Es bildet sich da eine verwegene herrschende Rasse auf der Breite einer äußerst intelligenten Herdenmasse." Aber daß man die Masse begehrlich macht, statt sie zu den Tugenden der Bescheidenheit, Genügsamkeit und des Gehorsams, die i h r e Tugenden sind, zu erziehen, schien ihm ebenso töricht wie verderblich. Und ebenso sah er in dem Bemühen, das Mitgefühl für alles Leidende im größten Umfange zu wecken, um das Leiden um jeden Preis abzuschaffen, ein völliges Verkennen der erzieherischen Kraft des Leidens. Kampf, Gefahr und Not jeder Art ist ihm der Boden, auf dem die Größe wächst. Daher ist Härte Tugend, nicht allgemeine weichliche Milde. Aber Härte um des Zieles willen, nicht als Ausfluß des Charakters, eines kalten, gefühllosen Herzens. „Nur

die Liebe soll richten, die schaffende Liebe, die sich selbst über ihren Werken vergißt." „Mild gegen die Menschen, hart um des Uebermenschen willen", darin sieht Nietzsche den Zwiespalt, der den Schaffenden erfüllt, der ihn zugrunde zu richten droht. Daß „der Mildeste der Härteste werden muß", erscheint ihm als das schwerste. Eine „ungeheure Energie der Größe" muß daher der Schaffende besitzen, um an dieser Härte, die, wie wir sahen, Millionen Mißratener verderben läßt, nicht zu zerbrechen. Der Herrschende muß auch über sein Wohlwollen und Mitleiden Herr werden.

Daß Schiller in diesem Punkte ebenso denken mußte, leuchtet ohne weiteres ein. Denn hier ist nichts Willkürliches. Die idealistische Weltanschauung fordert auch dieses Opfer von ihren Dienern. „Weich gegen andere, hart gegen sich selbst", ist für Schiller der Typus des edlen, „hart gegen andere, weich gegen sich" der Typus des unedlen Charakters. Das ist das Grundprinzip. Aber wo es sich um die Aufgabe der Menschheit, um ihre Höherentwicklung handelt, muß die Milde der Strenge weichen. Schiller erfaßt zwar den Gedanken der Züchtung der Menschheit nicht in der tragischen Größe wie Nietzsche. Daher sind auch seine Mittel milder. Aber wie er selbst um der Idee willen ohne Schonung verfahren konnte, und wie sein ganzes Schaffen als tragischer Dichter darauf gerichtet war, der falschen Weichlichkeit ein Ende zu machen, die den furchtbaren Charakter des Lebens verhüllen will, so fordert er auch von dem Künstler, der bei ihm die Stelle des Philosophen einnimmt, der nach Nietzsche dem Uebermenschen den Weg bereiten soll, daß er ohne Rücksicht auf die

Schwächen der Menschen sein Ideal vor sie hinstelle, „aufwärts blickend nach der Würde und nach dem Gesetz, nicht niederwärts nach dem Glück und nach dem Bedürfnis". Er wünscht ihm eine Jugend, weit von den Verderbnissen seiner Zeit, „unter fernem, griechischem Himmel". Mann geworden aber „kehre er, eine fremde Gestalt, in sein Jahrhundert zurück; aber nicht, um es mit seiner Erscheinung zu erfreuen, sondern furchtbar wie Agamemnons Sohn, um es zu reinigen".

Wenden sich also Schiller wie Nietzsche mit Entschiedenheit gegen die weichliche Auffassung des Lebens, die aus dem hedonistischen Sozialismus erwächst, so erkennen sie, wie gesagt, beide die Berechtigung sozialer Bestrebungen zweifellos an. Aber niemals ist der große Mensch der Menge wegen da, sondern umgekehrt. Es gilt nicht, eine „Sozialaristokratie" zu errichten, in der die herrschende Kaste den Inhalt ihres Lebens und die Berechtigung ihrer Existenz findet in der Sorge für das geistige und leibliche Wohl der unteren und mittleren Schichten. Diese Aristokratie vielmehr findet ihre Rechtfertigung in sich selbst und nicht nur ihre eigene. Sie rechtfertigt durch ihr Dasein das Leben überhaupt, weil in ihr der Sinn des Lebens sich ganz verwirklicht. Daß von dem großen und vollkommenen Menschen ein Strom segensreicher Wirkungen ausgeht, „eine lebendige Welt ewiger Bildungen", wie Schiller sagt, ausgestreut wird, ist andererseits gewiß. Aber nicht um dieser Wirkung willen ist der vollkommene Mensch als das Ziel der Entwicklung zu begreifen. Wie das Glück, das der empfinden muß, der dem Sinne des Lebens dient — insofern ist die Weltgeschichte das Weltgericht —, nur sekundäre Begleiterscheinung ist, so ist auch jene segensreiche Wirkung des großen Menschen eine einfache Tatsache. Etwas das ist, aber auch nicht sein könnte, ohne daß sich darum der Wert der großen Individuen verringerte. Denn sie pflanzen, wie Schiller sagt, die Menschheit fort, während die Millionen nur dafür sorgen, daß die Gattung besteht.

Vom Standpunkte dieser idealistisch-individualistisch-aristokratischen Weltauffassung aus gewinnt nun der Begriff der Gerechtigkeit erst Inhalt. Wenn Ungleichheit das Gesetz der Natur ist, so kann die Formel der Gerechtigkeit nur lauten: suum cuique, den Ungleichen Ungleiches, nicht allen das Gleiche. Was dem frei Gewordenen erlaubt ist, dem Herrn seiner selbst, steht dem Sklaven nicht frei. Und dasselbe gilt von dem Begriffe der Wahrheit: Wahrheit ist nicht für jeden.

Auf diesem Gebiete hat Nietzsche tief und eindringend gearbeitet, während Schiller nicht über Andeutungen hinausgekommen ist. Er betont im ganzen mehr das Positive als das Negative. Er gibt jedem Stande und Berufe, jeder Art menschlichen Seins und Denkens, indem er sie dichterisch verklärt, Sinn, Wert und Bedeutung, sie eben damit distanzierend. So stark er gedankenmäßiger Erfassung der Welt zuneigte, so sehr er es liebte, von der Idee aus an die Dinge heranzutreten, fast ebenso stark war doch auch das Streben in ihm, das Leben künstlerisch zu erfassen. Jene andere Seite seiner Natur, die, wie wir oben sagten, im Schauen und Aufnehmen ihr Genüge findet, forderte immer wieder ihr Recht. Er besaß die ungeheure Objektivität des Künstlers und suchte sie immer mehr zu erwerben. Wie hat er den Zauber und die Macht des katholischen Glaubens in der Maria Stuart geschildert! Diese Objektivität fehlte Nietzsche und damit die Vorbedingung zu künstlerischem Schaffen. Er war wohl Künstler, insofern die Phantasietätigkeit in ihm stark entwickelt war und insofern er die Fähigkeit besaß, das Wesen der Dinge hinter den Erscheinungen zu entdecken, im Bilde die Idee zu sehen, und die Idee in Bildern auszusprechen. Jeder Gedanke wird ihm zum Bild und aus jedem Erlebnis erwächst ihm ein Gedanke. Der Zarathustra bietet den Beleg dafür auf jeder Seite. Aber wenn Nietzsche Dichter war, so war er sentimentalischer Dichter in einem viel höheren Grade, als Schiller es war. Er wertet beständig. Erst in seiner letzten Zeit erhebt er sich zu einer objektiven Erfassung der Welt, die dann ihren Ausdruck findet in dem Gedanken der Oekonomie der Werte und in der Lehre vom Willen zur Macht als des Kernes aller Dinge. Aber er bleibt auch jetzt der wertende Philosoph par excellence, der er im Grunde seines Wesens ist, während Schiller immer mehr zum gestaltenden Künstler wird. Darum gelangte wohl Nietzsche, aber nicht Schiller dazu, alle Konsequenzen des aristokratischen Idealismus zu ziehen oder vielmehr sie ausführlicher darzulegen.

Das gilt besonders für den Begriff der Wahrheit. Hier scheint Nietzsche Schiller weit hinter sich zurückgelassen zu haben. Manche sehen gerade darin, daß Nietzsche zu einer anderen, als der herrschenden Auffassung der „Ethik der Logik" gekommen ist, seine eigentliche Bedeutung. Zu der nämlich, daß Wahrheit keinen absoluten Wert habe, daß Unwahrheit unter Umständen nützlicher sei als Wahrheit, ja daß das

Leben, um sich zu erhalten, der Lüge, das heißt einer Verschleierung des wahren Charakters der Dinge bedarf. Diesen Punkt hat Schiller niemals in theoretischen Auseinandersetzungen ausführlich behandelt. Was er, wie wir oben sahen, über den Begriff der Wahrheit als einer absoluten Größe sagt, scheint dem vielmehr auf das schärfste zu widersprechen. Aber jene Objektivität des Künstlers, von der wir eben sprachen, ließ ihn die segensreichen Folgen des Irrtums nicht verkennen. Belege dafür finden sich in Schillers Dichtungen in großer Zahl. Es sei nur an „Das verschleierte Bild zu Sais" und an die weniger bekannten „Poesie des Lebens" und „Einer jungen Freundin ins Stammbuch" erinnert. Er sieht auch: die Wahrheit erscheint jedem in anderer Gestalt. Damit vollzieht er indessen nicht den Schritt zu der Forderung, sie soll den Verschiedenen verschieden erscheinen, mit anderen Worten: ein bestimmter Teil der Menschen solle mit Bewußtsein im Irrtum erhalten werden. Das Irren, sagt er, ist immer schädlich, Wahrheit niemals. Nietzsche aber vollzieht diesen Schritt, jedoch nur theoretisch, indem er das Bild des Philosophen der Zukunft, der festsetzt, was für jede Art der Menschenkinder Wahrheit sein soll, wie eine Vision heraufbeschwört. Er selbst aber strebt nach voller Erkenntnis der Wahrheit und verkündet, was er als wahr erkannt zu haben glaubt. Er stimmt also schließlich mit Schiller darin überein, daß es nur eine Wahrheit gibt und daß man nach ihrer Erkenntnis trachten muß. Ja, er verkündet seine Wahrheit ohne Schonung und zu dem Zwecke, daß die Schwachen an ihrem Anblick zugrunde gehen. Hier in der Härte der Auffassung weit über

Schiller hinausgehend. Schiller hält es auch, wie wir sahen, für notwendig, dem Menschen das Bild der Wahrheit entgegenzuhalten, aber im Spiegel der tragischen Kunst, so daß sie erhebt und nicht niederdrückt oder gar vernichtet. Nietzsche aber erwartet von der Einsicht in den wahren Charakter der Welt den Untergang der Schwachen. Schiller ist demnach letzten Endes, trotzdem er so streng auf dem absoluten Charakter der Wahrheit zu bestehen scheint, auch in diesem Punkte, wenn der Ausdruck erlaubt ist, liberaler als Nietzsche.

Aehnlich liegen die Dinge, wenn wir die Frage ins Auge fassen, ob die Ungleichheit der Menschen auch notwendigerweise eine Ungleichheit der moralischen Anschauungen zur Folge habe. Auch hier scheint der Glaube Schillers an die Unwandelbarkeit und die Allgemeingültigkeit des Sittengesetzes den Lehren Nietzsches zunächst scharf zu widersprechen. Aber wir sahen bereits, dieses Sittengesetz ist negativen Inhalts. In ihm offenbart sich nur der Glaube an die geistige Natur des Menschen, die ihm verbietet, sich blindlings seinen sinnlichen Leidenschaften zu überlassen. Damit ist aber nicht entschieden, welche speziellen Moralvorschriften gelten sollen. Das Problem der Umwertung der Werte ist durch Schillers Sittengesetz nicht ausgeschlossen, es beginnt vielmehr erst.

Die Einsicht, daß die christlichen Moralanschauungen nicht Prinzip einer allgemeinen Gesetzgebung sein können, ist ja, wie wir sahen, die eigentliche Triebfeder für Nietzsches Handeln. Daß sie nicht nur zähmend wirken, dagegen wäre nichts einzuwenden, sondern schwächend, darin sieht Nietzsche ihren verderblichen Charakter und darum dringt er mit aller Gewalt der geistigen Leidenschaft, die ihn erfüllte, darauf, daß ihre Gegenwerte, die das Leben steigern, Prinzip der allgemeinen Gesetzgebung werden. Sie können allerdings auch schwächend wirken, aber nur auf die, an denen nichts gelegen ist. „An Unheilbarem soll man nicht Arzt sein wollen." Diesem Gedanken gegenüber tritt der andere, daß die Erhaltung des christlichen Ideals zu den wünschenswertesten Dingen gehört, weil es die Masse, die das Fundament der Herren der Zukunft bilden soll, leichter im Leben erhält, und zu ihrer Aufgabe tüchtiger macht, doch in den Hintergrund. Die Idee der Oekonomie der Werte liegt bei Nietzsche, man möchte sagen, im Kampf mit der Idee eines herrschenden Ideals. Sie ist ihm abgerungen. Daher steht Nietzsche hier in einem ähnlichen Verhältnis zu Schiller wie in dem oben dargelegten.

Daß auch Schiller die Tugenden des aufsteigenden Lebens im Sinne Nietzsches, also Kraft, Schönheit, Tapferkeit, Selbstbewußtsein, berechtigte Selbstsucht und nicht Demut, Gehorsam, Selbstentäußerung als Tugenden empfunden hat, kann keinem Zweifel unterliegen. Das geht unmittelbar aus dem Idealbild des Menschen, das er aufgestellt hat, hervor. Und auch die Fehler dieser Tugenden begreift er als notwendig und unvermeidlich für den, der zur Größe gelangen will. Daher rät er dem Jüngling, der den schlimmsten aller Fehler, Mittelmäßigkeit, vermeiden wolle, die anderen Fehler nicht zu früh zu meiden. Aber Schiller ist duldsamer als Nietzsche. Er verkündet nicht wie dieser mit Leidenschaft die Moral des kämpfenden, um das Ideal der eigenen Persönlichkeit ringenden Menschen; es genügt ihm, die Richtung angegeben zu haben. Er sah auch die christliche Moral nicht in dem Lichte, in dem Nietzsche sie sah, als eine Gefahr für die tieferen, größeren und verletzlicheren Geister. Nietzsche schwebte immer das Beispiel Pascals vor Augen. Schiller sah die größere Gefahr in der Neigung des Durchschnittsmenschen, sich gehen zu lassen, seinen Trieben lässig zu folgen und so in einem halb tierischen Zustande zu beharren. Darum legte er mit ungleich größerem Nachdruck als Nietzsche den Ton auf die Forderung der Selbstzucht im Sinne der Herrschaft der geistigen Natur über die sinnliche. Aber wir sahen, daß er das Ziel nicht in einem dauernden Wachsen dieser Herrschaft, das heißt in einer immer mehr steigenden Vergeistigung des Menschen sah, wie man wohl gemeint hat und noch meint, sondern daß er im Gegenteil in der Beseitigung der Herrschaft, in der Einverleibung des Gesetzes bei größtmöglicher Entfaltung aller sinnlichen Kräfte das Ideal erblickte. Daraus aber ergibt sich eine Verschiedenheit der Moralanschauungen, die man als die Schiller besonders eigentümliche bezeichnen kann. Das moralische Gesetz als Gesetz soll nur herrschen über die, die seiner bedürfen. Der freie und vollkommene Mensch kann des Gesetzes entbehren. Den Sklaven „leite", wie Schiller sagt, „die Furcht mit eisernem Stabe". Denn „nichts ist verächtlicher als die Moral der Dämonen in dem Munde des Volks, dem noch die Menschlichkeit fehlt". Dies Volk, „das seiner Natur nichts vertrauen darf, muß bis in die Geisterwelt fliehen, um dem Tier zu entlaufen". Wer aber

„leben darf", wie Nietzsche sagt, „ohne die Aengste eines Puritanergewissens", der bedarf alles dessen nicht, der kann es wagen, sich den ganzen Umfang der Sinnlichkeit und Natürlichkeit zu gönnen, weil er stark genug zu dieser Freiheit ist. Ja ihm ist eine immer höhere Kraft, Fülle und Feinheit der Sinne zu wünschen. Denn erst, wenn er die höchste erlangt hat, gepaart mit der höchsten Geistigkeit, ist er im vollen Sinne des Wortes Mensch. Wer ihm die Moral derer zumutet, die noch des Zuchtmeisters bedürfen, der „schändet die fromme, gesunde Natur", der „stellt sie an den Pranger".

So hätte uns denn der Gang unserer Betrachtung wieder zurückgeführt zu dem Idealbilde vollkommener Menschlichkeit, das Schiller wie Nietzsche als Ziel der Entwicklung aufzurichten unternommen haben. Und in ungleich größerer Klarheit und Schärfe steht es nunmehr vor unseren Augen.

Der Uebermensch ist der Mensch der tragischen Kultur in seiner höchsten Vollendung. Er ist der freie Geist, befreit von jedem Druck und Drang überweltlicher Mächte, von Lohn und Strafe, von Zweck und Schuld, in voller Selbstherrlichkeit sein eigenes Gesetz lebend, das er schöpft aus dem Wesen der Dinge, also sich bindend mit stärkeren Fesseln, als je die Furcht band. Der Herr seiner Tugenden und seines Schicksals. Das Leben bejahend in heroischer Ueberwindung seines tragischen Aspektes, es selber rechtfertigend als seine höchste Form, die Kraft und Fülle der Sinnlichkeit mit höchster Geistigkeit verbindet. Als solche nicht von heute auf morgen zu erzeugen, sondern nur zu ersehnen als das Endziel einer langen Entwicklung, in der sich die Tugenden der Eltern auf die Kinder, die Schätze von Generationen auf die kommenden vererben, als das Produkt schliesslich einer neuen Kultur, der tragischen Kultur, in deren Reich sich uns der Einblick eröffnet hat.

Wir überschauen es wie von einem hohen Gipfel aus. Noch wallen die Nebel des Morgens und verwehren uns den Einblick in manches Tal, tausend Einzelheiten entziehen sich unserem Blick. Aber schon ist die Sonne durchgebrochen, die grossen Konturen der Landschaft enthüllen sich und in hellem Lichte glänzen die Spitzen der Gebirge.

Schluß.

Wollte man die historische Stellung Schillers und Nietzsches präzisieren, so müßte man beide charakterisieren als zwei Typen des subjektivistischen Zeitalters, wie es Karl Lamprecht in den neuesten Bänden seiner unvergleichlichen deutschen Geschichte geschildert hat: Schiller als Vertreter der ersten, Nietzsche als Vertreter der zweiten Epoche. Es wäre ein leichtes nachzuweisen, daß alles, was Nietzsche von Schiller zu trennen scheint, darauf beruht, daß Nietzsche dieser zweiten Epoche, in der wir noch stehen, angehört. Seine größere seelische Reizsamkeit, seine impressionistisch-naturalistische Art, die Dinge zu sehen, vor allem aber die entschiedenere Einfügung des Menschen in die Natur rühren daher. Er hat sich alle wissenschaftlichen Errungenschaften des neunzehnten Jahrhunderts zunutze machen können. Nietzsche ist Monist. Die Lehre vom Willen zur Macht als des Wesens aller Dinge, auch der leblosen, beweist das.

Schiller sieht den Menschen wohl auch innerhalb der Natur, als ein Naturwesen, aber als eins, das eine besondere Stellung einnimmt. Der Monismus als wissenschaftliche Tatsache würde für ihn daran nicht viel geändert haben. Er würde ihn begrüßt haben als einen weiteren Beweis für die Freistellung der Persönlichkeit. Nie aber würde er, wie übrigens auch Nietzsche nicht, von da aus zu einer mechanistischen Auffassung der Welt gelangt sein, die so vielen als eine notwendige Konsequenz des Monismus erscheint. Er würde nicht aufgehört haben, den Monismus innerhalb der Natur des Menschen nicht sowohl als Tatsache denn als Ziel, als Aufgabe zu begreifen. Sein Problem beginnt da, wo das der Naturwissenschaften aufhört. Darum ist Schiller so modern, als wenn er heute erst geschrieben hätte.

Eben hierin folgte ihm Nietzsche, der zeit seines Lebens als unzeitgemäß erschien, nicht weil er die alten Werte negierte, sondern weil er neue suchte, seine Zeitgenossen aber noch in der bloßen Negation steckten. Heut ist er modern, weil die Einsicht neu erwacht ist, daß der Mensch, seiner alten religiösen Vorstellungen beraubt, eines neuen Ideals bedarf, und zwar eines geistig-sinnlichen. Der alte Ruf, in dem sich für Lamprecht die Stimmung unserer klassischen Epoche zusammenfaßt: „Ein neuer Himmel und eine neue Erde für ein neues Geschlecht!" wird wiederum erhoben. Und war Schiller derjenige, der allein mit Entschiedenheit als den neuen Himmel die Zukunft der Menschheit und als den neuen Menschen den Menschen der tragischen Kultur verkündete, so hat Nietzsche es unternommen, als der Prophet dieser Lebensanschauung aufzutreten. Schiller im ganzen noch gebundener und verstandesmäßiger, Nietzsche freier, zu tieferer Erkenntnis vordringend, leidenschaftlicher und mit den immer starken Mitteln des Prophetentums arbeitend. Was Schiller von den

Menschen forderte, daß sie dem schreckensvollen Anblick des Lebens furchtlos zugewandt, aus der Tiefe ihres eigenen Wesens den freien Willen schöpften, den Idealmenschen zu schaffen, hat Nietzsche zusammengepreßt in den eigentlichen Schlachtruf Zarathustras, den Wahlspruch kommender Generationen: „Tot sind alle Götter, nun wollen wir, daß der Uebermensch lebe."

Paß & Garleb G. m. b. H., Berlin W. 57.

Hermann Walther Verlagsbuchhandlung G. m. b. H.

Berlin W. 30, Nollendorfplatz 7.

Oskar Michel:

Vorwärts zu Christus! Fort mit Paulus!

Deutsche Religion!

2. Auflage 27 Bogen 4°. broschiert **6,00 Mk.**, geb. **7,50 Mk.**

„Deutscher Frühling" schreibt: . . . ein gedankenreiches, umfassend ausgreifendes, mit edler Begeisterung geschriebenes Werk. **Es weht der grosse Geist Fichtes aus dem Buch.**

„Deutsche Warte": Michel will nicht Religion **lehren,** sondern **leben** und will seine Mitmenschen dazu erziehen. **Er will das religiöse Sehnen und Suchen der Menschen auf den rechten Weg leiten** . . Das Buch ist bei aller Wissenschaftlichkeit so einfach geschrieben, dass es jeder lesen und verstehen kann. Es geht an keiner wichtigen Frage vorüber und gibt über alles klare, erschöpfende Auskunft, sodass man nicht müde wird, immer von neuem zu lesen, um sich zu neuen Gedanken anregen zu lassen. **Warme und innige Liebe zu den Menschen durchströmt das Ganze.** Christlicher Glaube und warme Frömmigkeit atmet jede Zeile. Nirgends breite dogmatische Auseinandersetzungen, **überall Leben und Wirken.** Möge das Buch des Verfassers vielen **ein rechtes Reisehandbuch werden.** Das Zeug dazu steckt drin.

„Deutsche Roman-Zeitung." Der Verfasser, früher Offizier und bekannter Rennreiter, hat sich aus ehrlichstem Drange seines Herzens dem religiösen Schrifttum zugewendet. Das Buch atmet, was die Reinheit der Gesinnung angeht, einen mit Moritz v. Egidy verwandten Geist. Man freut sich über die Wärme und Innigkeit, die sich an vielen Stellen bemerkbar machen. **Liebe zu den Menschen, Verehrung für christliche Gedanken und ein fröhlicher Gottesglaube leben in dem Werke.**